GARÇONS COOL
ET FILLES STRESSÉES

L'auteur

Cathy Hopkins vit à Londres avec son mari, Steve, et ses trois chats : Barnie, Maisie et Mollie. Elle a déjà publié une quinzaine d'ouvrages en Angleterre, dont des textes humoristiques et des livres sur le bien-être pour les adultes.

Vous avez aimé

Garçons cool et filles stressées

Écrivez-nous
pour nous faire partager votre enthousiasme :
Pocket Jeunesse, 12, avenue d'Italie, 75013 Paris.

CATHY HOPKINS

GARÇONS COOL ET FILLES STRESSÉES

LEÇON N°2 : COMMENT RESTER ZEN

Traduit de l'anglais par Frédérique Le Boucher

Titre original :
Mates, Dates and Cosmic Kisses

Loi n° 49-956 du 16 juillet 1949 sur les publications destinées à la jeunesse : février 2003.

ISBN 2-266-11912-5

Merci à mon mari, Steve Lovering,
sans lequel ma vie n'aurait aucun sens.
(L'idée est de lui. Mais les remerciements sont sincères.
Si, si, je vous assure.) Et merci à Brenda et à Jude, des
éditions Piccadilly, de m'avoir donné une excellente
excuse pour regarder Dawson, *sous prétexte de recherches*
nécessaires à mon travail. Et enfin,
merci à Rosemary Bromley pour avoir si bien su
m'encourager et me garder son amitié.

1

MARS ATTAQUE !

— Qu'est-ce que vous en dites ?

Lucy reste bouche bée.

— Lizzie ! J'hallucine ! Mais qu'est-ce que tu as fait ?

— C'est... euh... Ça change, balbutie Tasha.

À la façon dont elles me regardent toutes les deux, j'ai l'impression de débarquer d'une autre planète.

Aujourd'hui, c'est le mariage de cette raseuse d'Amélia, la fille de mon beau-père, avec le tout aussi rasoir Jeremy. Je suis censée jouer les demoiselles d'honneur avec Claudia, la sœur d'Amélia. Et Amélia m'a choisi une robe... à vomir. En satin vert, forme Empire : une horreur ! Soit dit en passant, je n'en attendais pas moins d'elle.

J'étais proche de la dépression nerveuse quand, soudain, j'ai eu une idée de génie. Enfin, moi, je la trouve géniale. Lucy et Tasha ont l'air moins emballées, alors j'ai essayé de les convaincre :

— Il fallait bien faire quelque chose ! Je ressemblais à Emma Thompson dans *Raison et Sentiment*[1]. Je l'aime bien, en tant qu'actrice, là n'est pas la ques-

1. Adaptation cinématographique du roman de Jane Austen.

tion, mais dans le genre look tarte elle fait fort, là-dedans, non ?

— D'accord, concède Tasha. Enfin tout de même ! Des cheveux verts !

— Parfaitement assortis à ma robe, tu remarqueras. Tu n'aimes pas ?

— Oh, moi, je trouve ça super, m'assure Lucy. Mais tu ne comptes quand même pas aller au lycée comme ça ? Mme Allen te tuerait.

— C'est juste de la mousse : ça s'en va tout seul au premier shampooing. Mais tu penses bien que je ne vais pas le dire à Maman !

Je m'admire dans le miroir de ma chambre.

— En tout cas, moi, ça me plaît. Et je n'ai aucune intention de les laver d'ici lundi.

— Tu ne crois pas que ta mère va t'obliger à les laver ? s'inquiète Tasha.

— Oh, depuis ce matin, elle court dans tous les sens, et la voiture vient nous chercher dans cinq minutes. Quand elle s'en apercevra, il sera trop tard.

— Tu as l'air d'une Irlandaise le jour de la Saint-Patrick ! pouffe Lucy. Tu me diras, l'avantage, c'est que ça fait ressortir tes yeux.

— C'est ma grand-mère qui aurait été contente, avec ses « racines » irlandaises...

Apparemment, personne n'a percuté. C'est ce qui s'appelle faire un flop.

J'insiste lourdement :

— Ses « racines » irlandaises. Des « racines » vertes, quoi. Pigé ? Racines *de cheveux*. Oh ! là là ! Il va falloir se réveiller. Ça rame, là-haut, les filles !

Elles me dévisagent toutes les deux comme si j'étais folle.

— À mon avis, ta grand-mère va plutôt se retourner dans sa tombe, soupire Tasha. Je ne pense pas qu'elle aurait poussé la fierté nationale jusque-là !

J'imagine déjà Mamie sortant de sa tombe pour débouler telle une furie dans l'église, ulcérée par la couleur de mes « si beaux cheveux ».

Revenons-en à la corvée du jour :

— Sans rire, vous ne pouvez pas savoir ce que je regrette que vous ne soyez pas de la fête. Ce n'est pas juste. Tout le monde a eu le droit d'inviter des amis, sauf moi. Évidemment, ils nous prennent encore pour des gamines ! S'il y a un truc qui m'énerve, c'est bien ça !

— Tu vas peut-être te trouver un charmant cavalier, une fois sur place, m'encourage Tasha. Ou peut-être même plusieurs, qui sait ? Ce sera l'occasion de mettre en pratique mes conseils de drague.

— Tu parles ! Je vais me barber à mourir, oui. Ils n'ont même pas prévu de D.J. Jeremy est comptable comme Papa et Grand-Papa. Pareil pour Amélia. Alors, je vous laisse imaginer. Même la pièce montée est en forme de calculatrice !

— À quoi ressemble sa robe ? demande Lucy.

Le look, les tendances, la mode, voilà ce qui intéresse Lucy. Elle veut faire des études pour devenir styliste, après le bac.

— Le genre grosse meringue enrubannée. Elle a beau être maigre comme un clou, elle a l'air d'un loukoum géant, là-dedans. Je me demande comment elle va faire pour s'asseoir dans la limousine.

— Moi, si je me mariais, fantasme Tasha en jouant les Cléopâtre alanguie sur les coussins, je serais sublimissime. Je serais déjà hyper-célèbre, évidemment. Alors tous les magazines s'arracheraient les clichés du mariage et je serais assaillie par les photographes.

— Qu'est-ce que tu porterais ?

Lucy et son obsession pour les fringues !

— Quelque chose d'hyper-moulant pour mettre ma ligne en valeur. Genre seconde peau. Du satin de soie ivoire, peut-être. Dos nu. Et pas question de relever mes cheveux, elles le font toutes. Vous voyez ce que je veux dire : le style choucroute amidonnée avec trois tonnes de laque ? Très peu pour moi ! Et, pour le bouquet, je ferais très simple : deux ou trois lis. Sobre. Élégant. La cérémonie serait organisée sur mes terres, et la réception dans mon manoir. Toutes les célébrités se battraient pour y assister. Il y aurait plus d'acteurs et de rock-stars au mètre carré qu'aux Oscars et aux MTV Awards réunis !

— De toute façon, même avec un sac à patates sur le dos, tu serais toujours canon.

Je sais : son ego n'a pas besoin de ça. Mais je ne peux pas m'empêcher de le lui dire. Tasha est la plus belle fille de la classe. Du lycée, même. Elle est moitié jamaïcaine, par sa mère, moitié italienne, par son père. Le mélange est détonant : une vraie bombe atomique. Elle pourrait être mannequin, si elle le voulait. Mais, récemment, elle a décidé qu'elle préférait devenir comédienne.

Lucy n'est pas mal non plus, dans son genre. Carrément l'opposé : blonde aux yeux bleus, avec les cheveux courts, tout en pétard sur le devant. Assise à sa place favorite – en tailleur, sur mon pouf, au ras du sol –, elle ressemble à un elfe. J'ai du mal à l'imaginer plus tard. Comme si elle devait rester éternellement jeune. Les elfes vivent bien des centaines d'années, non ? Lucy en jeune mariée, par exemple : carrément cosmique, l'idée !

— Et toi, Lucy, tu seras comment, à ton mariage ? demande Tasha au même moment.

Synchronicité ! (C'est le titre d'un bouquin que j'ai lu sur les événements qui se produisent pile quand on y pense. Trop-*space*, ce truc.)

Lucy se tourne vers la fenêtre, les yeux rêveurs.

— Je crois que j'aimerais me marier en hiver. Emmitouflée dans une grande cape de velours blanc. Avec des boutons de rose dans les cheveux. J'arriverais en calèche à l'église et je foulerais un tapis de fleurs parfumé...

Lucy ! Tu parles d'une romantique ! Elle n'a pas intérêt à tomber sur un ours mal léché...

Je ne peux pas m'empêcher de la charrier :

— Ce que tu peux être fleur bleue ! En tout cas, j'espère que tu n'obligeras pas tes demoiselles d'honneur à porter un truc aussi monstrueux que ce que j'ai sur le dos.

— Ce sera nous, les demoiselles d'honneur, non ? me fait remarquer Tasha. En tant que meilleures amies de la mariée, ce serait logique.

— Évidemment ! la rassure aussitôt Lucy. Mais je n'oublierai pas Ben et Jerry. Ce sont aussi mes meilleurs amis.

— Quoi ? Des chiens à un mariage ! s'écrie Tasha.

— Ben oui. Ils seraient très bien en garçons d'honneur, non ?

— Et pourquoi pas témoins, pendant que tu y es !

On est pliées, Tasha et moi. Vous imaginez, vous, deux gros labradors remontant la nef avec un collier de fleurs autour du cou ? Hilarant !

Comme personne ne me le demande, je me fais un plaisir de donner mon avis sur le sujet :

— Eh bien, moi, je ne me marierai pas. Pour quoi faire ? La plupart des couples se séparent deux ou trois ans plus tard. Vous n'avez qu'à voir mes parents. Un jour, j'ai entendu mon père affirmer au téléphone que le divorce, c'était la façon que la nature avait de nous dire : « Je vous avais prévenus ! »

— C'est que tu n'es pas amoureuse, me rétorque Lucy. Mais ça peut t'arriver du jour au lendemain. Et, là, crois-moi, tu changeras d'avis.

— Naaan. Regarde : j'ai déjà quatorze ans et je n'ai toujours pas de petit copain. Je n'ai jamais rencontré personne qui ressemble, de près ou même de très, très loin, au garçon que je recherche.

— Et si tu le rencontrais quand même ? insiste-t-elle.

— O.K. Si je le rencontrais – ce qui ne risque pas d'arriver –, je porterais une minirobe en vinyle rouge et j'irais à l'autel à rollers, sur fond de gospel, avec toute une troupe qui danserait et chanterait dans le chœur.

— Mais je ne sais pas faire du roller, moi ! s'écrie Lucy. Je ne vais tout de même pas me faire piquer ma place de demoiselle d'honneur pour ça !

— Ne t'affole pas, Lucy. Ça n'arrivera pas, de toute manière. Comment voudrais-tu que je tombe amoureuse ? Surtout si je reste ici : il n'y en a pas un pour rattraper l'autre. Tous des ringards finis.

— Oh, moi non plus, je ne suis pas pressée de me marier ! proclame Tasha. Je veux pouvoir m'amuser le plus longtemps possible. Pourquoi se contenter d'un seul fruit quand on peut tous les goûter ?

— Tu ne penses vraiment qu'à ça ! s'indigne Lucy. C'est vrai que c'est facile, pour toi : tu as la moitié des garçons de Londres à tes pieds. Mais qu'est-ce qui se passera si tu rencontres quelqu'un de vraiment spécial ?

— Comme Tony, tu veux dire ? la taquine Tasha.

La pauvre Lucy vire au rouge tomate. Tony est le frère aîné de Tasha. Et Lucy est raide dingue de lui.

— Il m'a donné rendez-vous la semaine prochaine, murmure-t-elle timidement.

Le sourire de Tasha s'évanouit aussitôt.

— Et tu comptes y aller ? demande-t-elle, d'un ton réprobateur.

— Bien sûr ! Oui, je sais ce que tu vas me dire : « Ne prends pas ça trop au sérieux. » Je le connais, Tasha. Chaque semaine, une nouvelle copine...

— Tu n'as pas intérêt à l'oublier. Sinon, Lizzie et moi on devra encore ramasser les morceaux.

— Je suis assez grande pour savoir ce que j'ai à faire. Et toi, Liz ? me demande-t-elle, qu'est-ce que tu attends d'un garçon ?

— Vous n'êtes pas trop pressées, j'espère. J'ai combien de temps pour répondre ?

Le garçon idéal ? La question exige réflexion...

— ... Eh bien, il faut qu'il ait de l'humour, qu'il sache me fait rire. Et puis... qu'il soit intelligent :

je ne veux pas d'un crétin incapable d'aligner deux mots. Quelqu'un avec qui je puisse discuter des heures, aussi. Et avec qui j'aie plein de points communs.

— Et pas trop désagréable à regarder, j'imagine ? susurre Tasha.

— Oui. Enfin, pas trop moche. Mais pas un sex-symbol non plus, hein ! Les mecs qui sont vraiment canon le savent et je les trouve carrément imbuvables.

— Tony, par exemple... chantonne Tasha en levant les yeux au plafond.

Lucy joue l'innocente. Trois régiments d'anges passent... Je préfère briser le silence. Ça pourrait tourner au vinaigre.

— Je résume donc : sens de l'humour ; pas bête ; pas radin ; pas misogyne ; pas trop mal, ni trop trash (genre les ongles rongés). Et, *last but not least...*

— Riche, suggère Tasha.

— Craquant, propose Lucy.

— Non. Capable de faire le poirier en chantant *God Save the Queen*.

Lucy explose de rire.

— Tu es complètement à la masse, Lizzie !

— Eh bien, bonne chance ! ironise Tasha. D'accord, pour la majeure partie de ta description, ça passe. Mais des ongles impeccables ! Tu ne crois pas que tu mets la barre un peu trop haut ?

— Lizzie !

Le hurlement de ma mère me ramène brutalement à la réalité.

— Lizzie ! La voiture est là.

Je prends une profonde inspiration.

— C'est parti. Mais, avant, ultime question : est-ce que j'ai mis assez de khôl ?

— Tu as un look d'enfer, m'assure Lucy. Et, surtout, n'oublie pas de nous raconter comment ça s'est passé. Et détaillé, le rapport, hein ?

— Tasha, ton avis ?

— Disons que, quand Amélia va te voir, j'espère vraiment pour toi que l'amour est aveugle.

— L'amour est aveugle. Mais le mariage lui ouvrira les yeux.

— Oui, c'est ça, soupire Tasha en se levant. Allez, viens, Lucy ! On ferait mieux de sortir d'ici avant que Mme Foster ne la voie, parce que ça va barder !

— Tu as raison. Ravie de t'avoir connue, Lizzie ! me lance Lucy, hilare.

Et sur ces bonnes paroles, mes deux meilleures amies m'abandonnent à mon sort, sans l'ombre d'un remords.

C'est beau, la solidarité !

Pour ce qui est de faire flipper Mme Allen avec mes cheveux verts, lundi, c'est râpé. Nous sommes à peine rentrés du mariage que Maman me fait monter les marches quatre à quatre. Direction : la salle de bains.

— Bien, gronde-t-elle, les dents serrées. Maintenant, frotte. Et tu ne cesseras de frotter que lorsque tes cheveux auront retrouvé une couleur décente.

Elle me tend le flacon de shampooing. J'attends qu'elle s'en aille, mais elle reste campée sur ses positions, les yeux braqués sur moi.

— Non seulement tu me fais honte devant toute

la famille et tous mes amis, poursuit-elle, mais en plus, tu as gâché à Amélia le plus beau jour de sa vie. Et comment allons-nous expliquer l'absence de l'une des demoiselles d'honneur sur la majeure partie des photos de mariage, je te le demande ?

— Oh, ça ne m'aurait pas dérangée d'être dessus, moi !

— Oui, mais Amélia avait son mot à dire sur la question, figure-toi. Et Amélia était furieuse. Franchement, Elizabeth ! (Elle m'appelle toujours par mon vrai prénom quand elle est en colère contre moi.) Voler la vedette à la mariée, le jour de ses noces !

— Je n'ai pas voulu...

— Tu ne penses donc jamais à rien ? On n'aurait vu que toi sur les photos, voyons !

— Désolée.

Ça fait au moins la dix millionième fois que je fais des excuses aujourd'hui.

— Et je peux t'assurer que tu n'iras pas en cours avec cette teinture ridicule. Quelle idée !

Je lui aurais bien rétorqué que des tonnes de filles du lycée se colorent et se décolorent les cheveux, mais je sais quand il faut s'avouer vaincue. Alors, je préfère encore me pencher au-dessus de la baignoire et ouvrir le robinet. Des flots et des flots de teinture verte ont déjà dégouliné dans la baignoire et Maman n'a toujours pas bougé d'un millimètre. Toutes les deux minutes, elle pousse un soupir excédé. Quant à moi, je continue à me laver les cheveux en silence. C'est plus sûr. Comme je tends la main vers une serviette pour les sécher, j'entends un hurlement :

— PAS CELLE-LÀ ! s'étrangle Maman. Pour

l'amour du ciel, Elizabeth ! Pas une serviette *blanche* ! Je t'en cherche une autre.

Maman est très à cheval sur la propreté de ses belles serviettes immaculées. Un jour, je venais de me démaquiller quand elle est entrée dans ma chambre avec celle que j'avais utilisée pour m'essuyer.

— Est-ce toi qui as taché MA serviette ? a-t-elle demandé en pointant l'index sur les marques de mascara. Les serviettes sont faites pour se sécher, non pour se laver.

J'aimerais bien qu'elle en achète des normales. Au moins, je pourrais les utiliser sans me prendre la tête. De toute façon, elle pinaille sur tout. Ce n'est plus une maison, c'est un musée. Et ma mère, c'est la perfection incarnée. Toujours tirée à quatre épingles : tailleur noir impeccable pour le bureau, ensemble pantalon noir pull cachemire impeccable pour la maison. La coiffure, c'est pareil : au cordeau, le carré. Bien strict, bien net. Pas un cheveu qui dépasse. Je me demande comment elle fait. Jamais une éraflure sur ses chaussures. Jamais un pli à ses chemisiers. Et ses vestes ne sont jamais froissées. Une vraie perfectionniste. Elle fait même le ménage avant que la femme de ménage ne vienne. C'est bien la peine d'en avoir une !

J'aurais voulu qu'elle s'en aille et qu'elle me laisse finir mon shampooing en paix. Mais non. Elle se plante devant la baignoire et me dévisage d'un air sévère.

— Et maintenant, puis-je espérer obtenir de ta part quelque explication valable ? me demande-t-elle d'une voix frémissante de rage.

— Euh... Je... j'ai trouvé que c'était joli.

Gros soupir. Un blanc. Gros soupir *bis*.

— Je ne voulais contrarier personne...

C'est vrai. Mais j'ai quand même produit mon petit effet. Enfin, quand je dis « petit »... Je dois avouer que je me suis taillé un franc succès. On était en train de remonter la nef, tout le monde poussait des exclamations d'extase au passage de la mariée, quand, tout à coup, les invités m'ont aperçue : silence de mort dans l'église. Les gens ont fini par détourner la tête, mais pas Amélia. Au premier regard qu'elle m'a lancé, j'ai compris que j'allais avoir de sérieux ennuis. Je voyais déjà la vapeur monter de sous son voile. Je vous jure. Ça fumait. J'ai gardé les yeux rivés sur l'autel durant toute la cérémonie. Je priais pour qu'elle se calme un peu, pendant la réception. Après deux ou trois verres, l'alcool aidant... Eh bien non. Elle ne s'est pas calmée du tout. Au contraire : elle est devenue carrément hystérique.

Maman me fusille toujours du regard de son poste de guet, au pied de la baignoire. Qu'est-ce que vous voulez que je dise de plus, moi ?

— Hum... désolée. Hum... pardon, pardon.

— « Pardon » ? Tu ignores jusqu'au sens de ce mot. Va dans ta chambre. Ta vue m'insupporte.

Je me sauve sans demander mon reste.

À la niche, le chien ! *Persona non grata* pour un moment. Et pour un bon moment, même, si vous voulez mon avis.

« Va dans ta chambre ». N'empêche, elle devrait changer de disque. Ça devient lassant, à la fin.

2

BOUGE DE LÀÀÀÀÀÀÀÀÀ !

— Où comptes-tu aller, jeune fille ? me crie Maman au moment où je tente une percée, la main déjà sur la poignée de la porte.

J'avais l'espoir de filer en douce. C'est gagné !

— Faire un tour avec Tasha et Lucy.

— As-tu pris ton petit déjeuner ?

Je marmonne, tout en fourrant mes gants dans la poche de mon manteau :

— J'ai pas faim.

— Il pleut et il fait froid, dehors, figure-toi. Tu ne peux pas partir le ventre vide. Viens ici.

Je me dirige docilement vers la cuisine. Ma mère est en train de mettre des tranches de pain de mie dans le grille-pain.

— Euh... non, merci, Maman. Je vais juste prendre un fruit. Je ne mange plus de pain blanc.

— Depuis quand ?

— Depuis maintenant.

— Et pourquoi donc ?

Elle a l'air plutôt de bonne humeur, étant donné les circonstances. Nous ne sommes tout de même qu'au lendemain du mariage. M'aurait-elle déjà pardonnée ?

— Euh... j'en ai pas envie. C'est tout.

— Bon. Alors, je vais te faire des œufs. Et articule, s'il te plaît.

— Non, mer-ci, je n'ai pas en-vie d'œufs non plus. Je vais juste prendre un fruit.

Perdu ! Elle est encore de mauvais poil. Pas la peine de lui expliquer que je ne mange plus que des œufs de poules élevées en plein air. J'ai lu quelque part qu'on entassait les poules de batterie dans de minuscules réduits dont elles ne sortaient jamais. Les malheureuses ! Mais je ne veux pas me lancer dans ce genre de discussion. On finirait encore par se disputer.

— Que t'arrive-t-il donc, ces temps-ci, Lizzie ? « Je ne peux pas manger ceci, je ne veux pas manger cela »...

Je respire un bon coup et je me jette à l'eau :

— Tu vois, on a eu un cours de nutrition au lycée et je me demandais si, euh... on ne pourrait pas manger plus sain à la maison.

— « Plus sain » ?

— Eh bien, des trucs frais plutôt que du surgelé, par exemple. Acheter des œufs de ferme, ou même, biologiques...

— Et pourquoi ce que je te donne serait-il malsain ?

— Euh... ce n'est pas malsain. On pourrait juste se nourrir autrement. Mieux.

— Balivernes ! On mange très bien, ici. Les placards sont toujours pleins.

— Maman, je ne parle pas de quantité. Je parle de qualité.

— Ce que je te donne à manger est de mauvaise qualité ?

— Mais non ! Pas du tout.

Aïe, aïe, aïe ! C'est mal parti. Tentons une autre approche :

— Maman, tu tiens à ce que tout soit toujours d'une propreté impeccable à la maison, non ?

— Absolument.

— Eh bien, tu n'aimerais pas être aussi propre dedans que dehors ? Tu es ce que tu manges. Plus ce que tu manges est sain et frais, plus tu es propre à l'intérieur et, donc, mieux tu te portes.

Mon exposé semble la plonger dans un abîme de perplexité.

Angus, mon beau-père, lève soudain les yeux de son *Financial Times*.

— Ma chérie, Lizzie essaie de te faire comprendre qu'elle vire écolo, explique-t-il, pontifiant. Ta fille est en train de devenir... verte !

Très drôle ! Merci, Angus ! C'est trop aimable de rappeler à Maman mes prouesses d'hier.

— Je ne parle pas environnement – quoique, c'est important aussi. Il faut juste arrêter d'ingurgiter des cochonneries.

Oups ! Ça m'a échappé. En tout cas, ce n'est pas tombé dans l'oreille d'un sourd – d'une sourde, en l'occurrence. En moins de trois secondes, Maman retrouve la forme des grands jours.

— Pourquoi faut-il toujours que tu te distingues, Lizzie ? s'insurge-t-elle. La plupart des filles de ton âge ne jurent que par les pâtes et les chips.

— Des pâtes bio, ça se trouve. Chez les parents de Lucy, tout est bio. Il faut dire que M. Lovering ne vend que des produits bio, dans son magasin, alors...

— Grand bien leur fasse. Nous n'avons pas le même mode de vie que les Lovering, point.

J'aimerais bien, moi, pourtant. Chez Lucy, c'est tellement chaleureux, confortable... habité, quoi ! On se sent tout de suite à l'aise.

— Enfin, Maman ! Les produits frais sont meilleurs que tous ces trucs que tu avales : bourrés de conservateurs, direct du congélateur au micro-ondes...

— Ne parle pas à ta mère sur ce ton, Lizzie ! aboie Angus.

C'est perdu d'avance. D'abord, je ne parlais pas à Maman « sur ce ton ». Ensuite, je pensais que mes suggestions pourraient profiter à toute la famille. Tant pis. Au point où on en est, pas d'hésitation à avoir : la meilleure stratégie, c'est la fuite.

— Je peux y aller, maintenant ?

— Pas avant que tu aies avalé ce toast, me répond Maman.

— Comme tu veux. Je vais le prendre et je le mangerai en route.

J'enveloppe le pain grillé dans une serviette en papier et je file vers la porte. Je le donnerai aux oiseaux. Ça fera au moins des heureux.

Quoique ou... je parie qu'ils préfèrent le pain complet, eux aussi...

Je dois retrouver Lucy et Tasha à Camden[1], à

1. Camden est un vaste marché aux puces, situé près du centre de Londres.

l'intérieur de la station. Elles m'attendent près du distributeur de ticket, en boulottant des Snickers. Comme par hasard, on est toutes les trois en noir.

— On est assorties, on dirait ! je leur lance en arrivant.

— « Qui va à Camden se vêt à la Camden... naise », ou un truc de ce genre, me répond Tasha entre deux bouchées. (Tiens ! elle a fait une croix sur le régime, aujourd'hui ?)

C'est vrai, à Camden, tout le monde est toujours en noir ou en gris. Ça va avec la couleur du ciel : un vrai temps de décembre, morne et pluvieux.

— Alors, ce mariage ? me demande Tasha, pendant que nous nous frayons un chemin à travers la foule jusqu'au marché couvert. Tes cheveux de Martienne ont disparu, en tout cas.

— Quand Maman m'a vue arriver avec les cheveux verts, j'ai cru qu'elle allait avoir une crise cardiaque. Elle m'a forcé à les laver dès qu'on est rentrés à la maison. Amélia était folle de rage. Elle m'a privée de photos de mariage et elle a juré de ne plus jamais m'adresser la parole.

— Oh ! Objectif atteint, alors. Elle n'a jamais fait partie de tes chouchoutes, si je me souviens bien...

— Pas vraiment, non. Et je ne trouve pas que j'aie gâché le mariage, même si tout le monde raconte le contraire. La cérémonie a été plutôt sympathique vers la fin. Surtout quand ils ont poussé ce pauvre gamin devant le micro pour qu'il dise le Notre-Père. Il était si mignon ! Pas plus de six ou sept ans. « Notre Père qui es odieux, a-t-il récité, avec la plus grande ferveur. Que tonton soit rectifié. » C'était à mourir de rire.

— Des garçons sympas, sinon ? questionne Lucy.

— Laisse tomber ! Enfin si, un. Il a même essayé de me brancher. C'est le petit frère de Jeremy, le marié. S'il est aussi débile...

— Quel style ? s'informe Tasha.

— Environ dix-sept ans. Pas mal. Des petites lunettes rondes à la John Lennon... Mais il portait un immonde costume dix fois trop grand pour lui. Quand Jeremy l'a fait monter sur l'estrade, après le dîner, pour qu'il joue du piano, j'ai cru à un gag. L'horreur absolue. L'intégrale des comédies musicales en trois volumes. La série complète des vieux nanars hollywoodiens. Et toutes les momies qui beuglaient en chœur. *La Mélodie du bonheur*, *Chantons sous la pluie*, *West Side Story*... tout y est passé ! Le genre « *The most beautiful sound I ever heard : Ma-ri-a, Ma-ri-a-Ma-ri-a-Ma-ri-aaaaaa. I just kissed a girl named Ma-ri-aaaa...* » Trop nul.

— Mon père l'a en vidéo, et Steve et Lal ont fait leur remix perso, nous annonce Lucy, avant de se mettre à chanter : « Le mec le plus casse-pieds qu'j'aie jamais vuuuu. Barre-toi d'là ! Casse-toi d'là, tire-toi d'là, bouge de làààààààà ! Dégage avant d'te prendre un coup baaaas... »

— C'est déjà beaucoup mieux. Bon. Revenons à nos moutons. On est là pour faire du shopping, non ? Vous cherchez quoi ?

— Un mec sexy, répond Tasha sans hésiter.

— Et toi, Lucy ?

— Moi, je voudrais trouver des boucles d'oreilles pour mon rendez-vous avec Tony.

Ouah ! Elle a l'air hyper-sérieuse, en plus. Ça ne lui réussit pas, les rendez-vous...

— Et il faut absolument qu'on trouve quelque chose à se mettre pour la soirée du lycée, s'affole tout à coup Tasha.

— Il paraît qu'il y aura King Noz !

Vu l'enthousiasme de Lucy, le groupe doit être archi-connu. D'habitude, je suis incollable, question musique. Là, je suis bien obligée d'avouer mon ignorance :

— King Noz ?

— Ils sont géniaux. Ils sont en terminale, dans le même lycée que mes frères. Lal a une cassette à la maison. D'après lui, ils auraient déjà signé un contrat avec une maison de disques.

— Ça ne pourra pas être pire que les flonflons du mariage d'Amélia, en tout cas...

À Camden Lock, on trouve tout un bric-à-brac indescriptible de bouquins, de tableaux, de bijoux, de fringues, de chapeaux, de poteries, de C.D., de vinyles, sans compter l'encens, les huiles essentielles, les cristaux... Il n'y a qu'à demander ! Le marché est bondé. Les gens fouillent, regardent, achètent ou discutent tout simplement entre amis.

Comme j'ai l'intention de faire du repérage pour mes cadeaux de Noël, j'entraîne les filles au premier, vers les stands New Age. Je vais peut-être donner dans l'aromathérapie pour tout le monde, cette année.

À peine arrivée, Lucy tombe en extase devant un stand de bijouterie, et pendant que Tasha essaie des lunettes de soleil, je vais toute seule au stand d'huiles essentielles qui fait l'angle en haut de l'escalier. (C'est son truc, à Tasha, les lunettes de soleil. D'après elle :

« Moue boudeuse, lunettes de soleil classe et n'importe qui peut devenir une bombe. » Je cite !) Je prends les bouteilles d'essence de rose et de jasmin et je respire à pleins poumons. Ce sont mes favorites, mais aussi les plus chères, et je n'ai encore jamais pu me les payer pour compléter ma collection.

— Bonjour. Je peux vous aider ?

Je lève la tête et, là, mon regard plonge dans de grands yeux de velours marron, ourlés de longs cils noirs. Je sens un truc bizarre au creux de l'estomac, comme si quelqu'un venait de faire un nœud et tirait dessus de toutes ses forces. Il est trop beau. Et quand je dis « beau », je veux dire « mortellement beau ». Une grande bouche sexy, un super-sourire et de longs cheveux noirs caressant son visage... Mmmm...

Je bredouille un « Euh, non, merci, je ne fais que regarder », et je file retrouver Lucy et Tasha.

Je les entraîne derrière un stand de fringues ; je m'adosse au mur pour ne pas m'évanouir et je leur annonce, en soufflant comme si je venais de piquer un cent mètres :

— Je... chuis tombée amoureuse !

— De qui ? fait Tasha en regardant autour de nous.

Lucy l'imite aussitôt.

— Arrêtez ! Il va nous voir.

— C'est le garçon en jean et tee-shirt blanc ? demande Lucy. Le type du stand à côté de l'escalier ?

Je jette un coup d'œil. L'apollon en question me fait un grand sourire et un signe de la main.

— Oh, non !

Je plonge sous le portant.

— Il nous a repérées ! Il va me prendre pour une débile totale. Venez. On fiche le camp d'ici. Tout de suite. En bas. Vite ! Sinon, il va penser que j'ai flashé sur lui.

— Mais, Lizzie... tu as flashé sur lui, rétorque Tasha. Alors, quel est ton plan ?

— Déguerpir.

Et je fends la foule, tel un tyrannosaure au galop. En me voyant emprunter l'escalier, Lucy et Tasha se mettent à courir pour me rattraper.

— S'il te plaît tant que ça, vas-y et parle-lui, me conseille Lucy en me tirant par la manche.

— Ch'peux pas : chais pas quoi lui raconter. Oh, bon sang ! Chuis tellement nulle !

— Pas du tout ! s'impatiente Tasha. Tu sais quoi ? On fait un tour en bas, et puis on remonte. Avec Lucy, je vais à son stand. Et, l'air de rien, on t'appelle pour te montrer un truc.

— Bonne idée. Et pendant que vous vous baladez en bas, moi, je vais me recoiffer aux toilettes.

Lucy éclate de rire.

— Tu vois, quand je disais que ça pouvait t'arriver du jour au lendemain...

Si, moi, je sais reconnaître une défaite, certaines n'ont pas le triomphe modeste...

Au bout de quinze interminables minutes scotchées devant des stands aussi captivants qu'un tambour de machine à laver, nous sommes enfin remontées au premier. En jetant un coup d'œil entre les centaines de têtes agglutinées qui me servent de camouflage, je l'aperçois. Il discute avec un client.

Je vais me planter au stand d'en face, de dos, pendant que Tasha et Lucy se dirigent vers lui.

— Lucy, hurle Tasha à sa voisine (qui marche à dix centimètres d'elle), je voudrais regarder les huiles essentielles.

Il ne lui manque qu'un mégaphone ! Plus discrète, tu meurs !

Lucy et Tasha sont bientôt occupées à renifler tous les flacons de l'étalage. Soudain, Tasha braille, de ce même ton théâtral à vous donner envie de rentrer sous terre :

— Lizzie ! Viens donc par ici ! Est-ce que cette huile ne serait pas aphrodisiaque ?

Oh, mon Dieu ! « Subtile » est un mot qui ne fait pas partie de son vocabulaire. Je me retourne et je traverse l'allée. Respirons par le ventre. Restons zen. Zen.

Apollon lève les yeux vers moi et me sourit.

— Ylang-ylang, m'annonce-t-il d'une voix suave en me tendant la bouteille. Il paraît que c'est le pied assuré.

— Et qu'est-ce qu'on en fait ? lui demande Tasha.

Apollon lui lance un regard entendu et lui répond d'un ton suggestif :

— Mais... tout ce qu'on veut...

Je fusille Tasha du regard et martelle, cassante :

— Tu en verses quelques gouttes dans ton bain.

Au secours ! J'ai l'impression d'entendre ma mère !

Tasha prend Lucy par le bras.

— Allons regarder... euh... là-bas.

Et elle entraîne Lucy vers un autre stand. Sans

oublier, surtout, de lever la main pour me faire le V de la victoire. Je la tuerais !

Et maintenant, je fais quoi ?

Je tourne la tête vers Apollon et lui adresse un sourire niais.

— Je m'appelle Marc, dit-il.

Il désigne Tasha et Lucy du menton :

— Des copines, hein ?

Je marmonne :

— Oui, des copines. (Lâchement, en regardant Tasha, j'ajoute :) Elle a dû oublier de prendre son calmant, ce matin.

Marc se marre.

— Alors, comme ça, tu t'y connais en aromathérapie ?

— Un peu. J'utilise certaines essences à la maison, par exemple la lavande pour la relaxation ou l'eucalyptus quand j'ai attrapé un rhume. Et toi, tu dois être incollable, j'imagine ?

— Pas vraiment. J'ai juste chopé quelques petits trucs en observant ma mère. Je l'aide à tenir son stand, de temps en temps.

— Ça doit être génial de travailler ici.

— Pas mal, répond Marc en haussant les épaules.

Il plonge alors ses yeux dans les miens et sussure :

— On peut rencontrer des gens intéressants, parfois...

Glups ! C'est de moi qu'il parle, là ? Je suppose que oui, parce qu'il me fait le coup du prédateur, l'une des techniques de drague favorites de Tasha : regarder sa proie droit dans les yeux et, dès qu'elle est ferrée, lui balancer un sourire ravageur. Je suis carrément hypnotisée.

— Écoute, poursuit Marc, si ça t'intéresse, il y a un salon, la semaine prochaine, à l'Alexandra Palace [1] : « Corps et esprit en harmonie », ou un truc dans le genre. Ma mère a un stand là-bas. File-moi ton numéro, je t'appellerai pour te donner les détails.

Inutile de me le dire deux fois. Je lui tends aussitôt une des cartes de visite que j'ai faites, au début de l'année, en cours d'arts plastiques. Lettres argent sur fond turquoise : hyper-zen, avec un petit côté cabalistique... Je suis asez fière de moi.

— Lizzie Foster, lit-il. Cool. O.K. Je t'appelle bientôt. Promis.

Sur le chemin du retour, pendant que je regagne la station de métro avec Tasha et Lucy, les guirlandes de Noël s'allument dans les rues et dans les vitrines des magasins. Camden prend un petit air de fête et se nimbe de magie. J'ai l'impression de traverser un décor de cinéma. Le brouillard se lève avec un *timing* impeccable dans une rue parfaitement illuminée : c'est « Féerie chez Walt Disney » !

Lucy nous prend alors par le bras, Tasha et moi, et se met à chanter à tue-tête. Nous reprenons toutes les trois en chœur :

— Barre-toi d'là ! Casse-toi d'là, tire-toi d'là, bouge de làààààààà !

1. L'Alexandra Palace abrite expositions, concerts et compétitions sportives et offre un splendide panorama sur la capitale.

LES TECHNIQUES DE DRAGUE DE TASHA

– Plonge tes yeux dans les siens. Soutiens son regard juste un petit peu plus qu'il ne le faudrait pour lui montrer qu'il a ses chances, puis détourne la tête.
– Souris-lui.
– Étudie son langage corporel. Est-ce qu'il se penche vers toi pour te parler ? Ses genoux sont-ils pointés dans ta direction ? Si oui, tu as tes chances.
– Imite-le. Penche-toi légèrement vers lui.
– Ris à ses blagues. Même si elles sont nulles.
– Fais-le rire.
– Parle de tout et de rien. Ne sois jamais lourde, surtout.
– Écoute ce qu'il te raconte et fais celle qui est intéressée. Captivée même.
– Ne parle pas de tes autres petits copains.
– Ne sois pas trop facile, trop accessible.
– Ne montre surtout pas que tu es accro.
– Ne sois pas constamment disponible.
– Ne prends pas les choses trop au sérieux et ne tombe surtout pas dans le mélo.
– Ne sois jamais collante.
– N'abuse pas de son hospitalité. Va-t'en quand il est ravi d'être avec toi. Comme ça, il aura envie de te revoir et il en redemandera.
– Pour savoir si tu as tes chances : regarde-le dans les yeux un petit peu trop longtemps, comme dans la technique n° 1, puis cache-toi derrière un pilier d'où tu peux le surveiller. S'il regarde à l'endroit où tu étais deux secondes avant et, encore mieux, s'il te cherche partout, tu as toutes tes chances.

CHERCHE DÉCODEUR « CANAL GARÇONS »

Aujourd'hui, mercredi, et toujours rien. Je commence à avoir des doutes...

Je profite du trajet jusqu'au lycée pour en parler avec Tasha et Lucy :

— Quand un garçon te dit qu'il t'appellera bientôt, qu'est-ce que ça signifie, au juste ?

— La question piège ! s'exclame Tasha.

— Ça veut dire plus tard, répond Lucy. Beaucoup plus tard. Quand une fille te dit qu'elle t'appellera bientôt, elle pense « bientôt », genre « ce soir ». Les garçons ne parlent pas la même langue que nous. Il faut décoder.

— J'en déduis que Marc n'a pas encore appelé ? soupire Tasha.

Je secoue la tête.

— Oh, c'est normal, au début ! s'efforce de me rassurer Lucy. Laisse-lui le temps. Il va t'appeler, puisqu'il l'a promis.

— Ça ne prouve rien, lui rétorque Tasha. En langage garçons, « je t'appelle bientôt » peut signifier un tas de choses : je t'appelle dans une semaine, dans quinze jours, le mois prochain... si je n'ai pas oublié avant !

Je laisse échapper un grognement.

— Oh, non ! C'est l'enfer ! Et ça ne fait que trois jours. Je me suis couchée hyper-tard, tous les soirs, en espérant qu'il allait téléphoner. Résultat : je suis crevée. Et pour des prunes, en plus !

— Il n'aurait pas pu t'appeler si vite, de toute façon, affirme Tasha. Pas si c'est un mec cool. Il serait passé pour un nul, sinon. Accorde-lui encore un jour ou deux. Et encore ! N'y compte pas trop.

J'adore Tasha. Mais, par moments, j'aimerais bien qu'elle mette sa franchise en veilleuse.

— Plus tu regardes ton téléphone, moins il sonne, déclare Lucy.

— Il faudra pourtant bien qu'il appelle avant samedi : c'est le jour du salon.

Qu'est-ce qu'on s'est marrées au lycée, cette semaine ! Heureusement, d'ailleurs. Ça m'a empêchée de penser tout le temps à ce maudit coup de téléphone qui ne vient pas. On a hérité d'une prof stagiaire pour remplacer Mlle Nollan, le lundi matin. Elle assure aussi les cours d'éducation religieuse. Pauvre Mlle Hartley ! Les pitres de la classe s'en donnent à cœur joie avec elle.

D'habitude, j'aime bien l'E.R. On étudie les religions les plus répandues dans le monde. C'est un excellent moyen de découvrir les autres cultures. Moi, je trouve ça passionnant d'étudier les croyances, les modes de pensée. L'année dernière, je me prenais pour une hindoue. Les hindous croient que nous avons plusieurs vies et que notre âme change de corps quand nous mourons. Pour eux, nous revenons sur terre sous une autre forme ou dans la peau de quelqu'un d'autre.

Je m'étais fait un badge sur lequel on pouvait lire : « La Réincarnation fait son come-back. » Je l'ai porté au lycée jusqu'à ce que Mme Allen le voie et m'ordonne de l'enlever. Je trouvais ça plutôt cool d'imaginer que j'avais peut-être déjà rencontré certaines personnes dans une autre vie. Un jour, j'ai demandé à Tasha si elle pensait que nous nous étions connues auparavant.

— Oh ! Sans aucun doute, m'a-t-elle répondu.

— Comment ça ? Tu crois que j'ai pu être ta sœur ou un truc de ce genre ?

— Non. Tu étais mon canari favori !

Lucy a tout de suite rebondi :

— Ah ! C'est donc pour ça qu'elle veut tellement chanter !

— Et qu'elle a un appétit d'oiseau ! a embrayé Tasha.

— Et qu'elle ne veut plus manger que des graines ! a renchéri Lucy.

— Merci, trop sympa ! C'est fou ce que vous êtes douées pour enfoncer les copines, les filles !

C'est le moment qu'a choisi Lucy pour sortir une de ses blagues à la noix :

— Au fait, vous savez quelle est la différence entre un judoka et un yogi ?

— Eh bien, le judoka pratique le judo, et le yogi le yoga, a répondu Tasha.

— D'accord, d'accord. Quoi encore ?

Je savais que c'était un coup tordu, mais j'ai quand même joué le jeu :

— Le judoka pratique un sport de combat, alors que le yogi recherche l'harmonie physique et spirituelle en faisant une gymnastique douce.

— Oui, c'est ça. Autrement dit, le judoka est un dur et le yogi est un doux ! s'est esclaffée Lucy.

— Et alors ? s'est impatientée Tasha.

— Le yogi est hindou, a répété Lucy. H.I.N.D.O.U., hindou, banane !

Pour Tasha et Lucy, l'E.R. est un cours comme les autres. Elles ne prennent pas du tout ça au sérieux. Elles ne semblent pas réaliser à quel point c'est important pour moi, combien j'ai besoin de comprendre ce qu'on fait ici et quel sens donner à sa vie. (Oui, oui, je sais : « D'où viens-je ? Où vais-je et dans quel état j'erre ? » *Étagère !* ha ! ha ! ha !) Bon, c'est vrai que j'ai décidé d'abandonner l'hindouisme pour devenir agnostique[1]. Mais c'est temporaire...

Mlle Hartley a d'abord toussé pour attirer notre attention, puis elle s'est lancée :

— Aujourd'hui, nous allons parler de Dieu. Que savons-nous de Lui ?

— Il est omniprésent, omnipotent et omniscient, a répondu Jade Wilcocks.

— Excellent, l'a félicitée Mlle Hartley.

— C'est un auteur à succès, a répondu Mary O'Connor. Il a écrit la Bible.

Pour couper court aux ricanements, j'ai levé la main.

— Lizzie Foster ?

1. Agnostique : qui ne croit en aucun dieu.

— Eh bien, en fait, madame, j'ai une question sur Dieu.

Je n'avais pas cessé d'y penser depuis que, le jour du mariage d'Amélia, le prêtre avait dit : « Nous voici ici rassemblés en présence de Dieu... »

— Si Dieu est omniprésent, ça signifie que Dieu est partout, non ?

— Oui, a acquiescé Mlle Hartley.

— Alors quel est l'intérêt d'aller à l'église pour prier ? S'Il est partout, on doit être en Sa présence quel que soit l'endroit où on se trouve : au cinéma, chez nous... n'importe où. Alors, à quoi ça sert d'aller à l'église ?

— Question intéressante, a reconnu Mlle Hartley. Quelqu'un aimerait-il s'exprimer sur ce point ?

— Madame, s'Il est partout, est-ce que ça veut dire qu'Il nous regarde tout le temps, même quand on va au petit coin ? a demandé Candice Carter.

C'était reparti pour un tour ! Et moi qui avais espéré obtenir des réponses à mes interrogations...

— Pourquoi les gens lèvent le nez au plafond quand ils prient ? a enchaîné Kate Richards. On pourrait tout aussi bien prier sous l'évier.

Ce n'était pas idiot, en un sens. J'ai de nouveau levé la main.

— Madame, s'Il est omniprésent et que les gens prient tout le temps, comment fait-Il pour entendre tout le monde ? Est-ce qu'Il a un service de traduction simultanée ? Ça ne doit pas être évident, avec ces milliers de prières qui Lui arrivent dans toutes les langues. Si ça se trouve, Il ne parle que le papou. On n'en sait rien, après tout.

Mlle Hartley commençait à perdre pied.

— Quelqu'un d'autre a-t-il un commentaire à faire à ce sujet ? a-t-elle demandé.

J'ai encore levé le doigt. J'avais des tonnes de questions, moi : j'y pense hyper-souvent, à tous ces trucs-là.

— Est-ce que vous ne croyez pas que Dieu doit avoir le cafard, à force ? Parce que, être omniprésent, aujourd'hui, ça ne doit plus être aussi passionnant que ça l'était quand le monde était tout nouveau, tout beau. Vous imaginez : être partout en même temps ? Autant dire qu'Il se fait tous les épisodes de *La Petite Maison dans la prairie* tous les jours, plus toutes les versions, dans toutes les langues, et toutes les rediffusions, dans tous les pays, jusqu'à la fin des temps, et pour l'éternité. Qu'est-ce que ça doit être barbant !

— Pertinente remarque, a applaudi Mlle Hartley, en se gardant bien de nous répondre. Pourquoi ne pas en faire une rédaction pour la semaine prochaine ? Sujet : « Comment voyez-vous Dieu, aujourd'hui ? » Mais, pour l'instant, ouvrez votre bible.

Je me demandais toujours comment Dieu pouvait bien faire pour répondre à toutes les prières. Mais peut-être qu'Il est comme Marc ? Peut-être qu'Il ne rappelle pas ? Voilà qui méritait réflexion. Et j'ai recommencé à me creuser la cervelle jusqu'à buter sur cette énigme qui vient régulièrement me tarabuster :

— Madame, pourquoi dire « Il » ou « Lui » pour parler de Dieu, comme si c'était un homme ? Pourquoi ce ne serait pas une femme, ou même un esprit, un truc abstrait ?

— « Pourquoi ? Pourquoi ? Pourquoi ? » Toi, en tout cas, je crois que nous allons t'appeler Lizzie la Questionneuse, a répondu Mlle Hartley.

Pathétique ! Elle ne s'était même pas donné la peine de fournir un semblant de réponse.

— Maintenant, mesdemoiselles, a-t-elle enchaîné, qui pourrait nommer quelques-uns des personnages les plus connus parmi ceux qui sont évoqués dans les cantiques que nous chantons à la messe ?

— Gabriel, a répondu Mary.

— Bien.

— Lucifer, a répondu Jade.

— Euh... non, l'a reprise Mlle Hartley. Lucifer est un des noms que l'on donne au diable. C'est un ange déchu.

— Qu'est-ce que ça signifie, « déchu » ? ai-je demandé avant qu'elle ne me fasse signe de tenir ma langue.

— Qu'il a été privé de l'état de grâce, a-t-elle répondu.

— Par qui ?

— Par Celui qui la lui avait accordée : Dieu, Notre Père.

— « Qui es odieux, a chuchoté Lucy derrière moi. Que tonton soit rectifié. »

Et j'ai été prise d'un fou rire monstrueux.

— Moi, j'ai un personnage qui est dans un cantique ! s'est écriée Candice Carter.

— Bien, a dit Mlle Hartley. Nous t'écoutons, Candice.

— Benny, madame.

— Et dans quel cantique est-il fait référence à un personnage du nom de Benny, Candice ?

— « Béni soit le nom du Seigneur », madame.

Impossible de tenir la classe, après ça. Même Tasha s'y est mise :

— J'en ai un, madame.

— Oui, Tasha.

— Osana, madame.

— Osana, a-t-elle répété d'une voix lasse. Et dans quel cantique parle-t-on de ce Osana ?

— « Gloire à toi, Hosanna, au plus haut des cieux », madame.

À ce stade du cours, la pauvre Mlle Hartley semblait ne plus avoir qu'une seule prière en tête : « Mon Dieu, faites que je sois n'importe où plutôt qu'ici. »

Pendant la pause déjeuner, j'interroge la messagerie de mon portable. Rien. J'appelle à la maison pour interroger le répondeur à distance. Rien. Et, tout à coup, une horrible idée me traverse l'esprit. Maman m'a acheté un nouveau portable, le mois dernier, et j'ai fait mes cartes de visite il y a deux mois. Oh, non ! Le numéro de portable qui est sur la carte que j'ai donnée à Marc est celui de l'ancien !

— Il n'appellera pas dans la journée, me raisonne Lucy. Il est en cours.

— C'est vrai. Mais il a peut-être un portable. Peut-être qu'il appellera ce soir.

— Oh, Lizzie ! Ce soir, tu rentres avec nous à la maison. Papa et Maman vont au ciné et j'ai loué une vidéo.

— Désolée, Lucy. Je ne voudrais pas rater son appel.

Lucy a l'air déçue.

— Tu n'es pas venue une seule fois de la semaine, bougonne-t-elle. Allez, Lizzie, ton répondeur prendra le message.

S'il y en a une sur laquelle j'étais sûre de pouvoir compter, c'est bien Lucy. Surtout depuis qu'elle est tombée amoureuse de Tony.

Tout le monde peut se tromper...

DÉCODER LE LANGAGE « GARÇONS »

Je t'appelle bientôt. => Un de ces jours, dans les cent ans à venir.

Je t'aime. => À la minute où je te parle. Demain est un autre jour.

J'ai besoin de respirer. => Et d'aller voir ailleurs.

Pourquoi précipiter les choses ? => De l'air ! Tu m'étouffes.

Tu veux que je te frotte le dos ? => Laisse-moi tenter ma chance.

Il fait chaud ici, hein ? => Qu'est-ce que tu attends pour te déshabiller ?

Salut ! Dis donc, elle est mignonne, ta copine => Bon alors, tu me la présentes ? Je ne me suis quand même pas tapé trois soirées avec toi pour rien !

Oh ! Tu deviens lourde ! => Je commence à en avoir marre de toi.

C'est un laideron. => Je me suis pris une veste avec elle.

Je ne suis pas encore prêt à m'engager. => Pas avec toi, en tout cas.

Je suis très indépendant, comme mec. => Tu me lâches ?
Ça ne nous empêche pas de rester copains. => C'est fini et j'espère bien que c'est la dernière fois que je te vois.

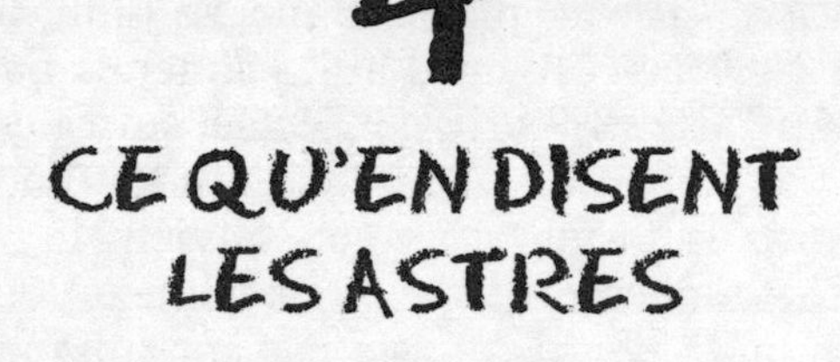

4
CE QU'EN DISENT LES ASTRES

Mercredi soir : rien.

Jeudi midi : rien.

Jeudi soir : rien.

Vendredi matin : rien.

Ça commence à me taper sur le système. Est-ce qu'il aurait perdu mon numéro ? Peut-être qu'il avait mis ma carte dans la poche de son jean et que sa mère l'a lavé ? Peut-être qu'il n'a jamais eu l'intention de m'appeler et qu'il a dit ça juste pour se débarrasser de moi ? Peut-être... peut-être.... peut-être...

Il est temps de consulter les astres.

Je fais passer un message à Lucy pendant le cours de littérature.

« Tu viens à la maison, ce soir ? Au programme : horoscope et tarots. Je veux savoir pour Marc. Tasha a théâtre. Mais toi, tu peux venir. »

« Bien sûr, me répond-elle, au dos de mon petit mot. Seulement c'est à moi de nourrir les chiens. On le fera en passant. Deux minutes, pas plus. »

— Lizzie Foster et Lucy Lovering ! Un peu d'attention, s'il vous plaît ! tonne M. Johnson. Sortez vos classeurs. Aujourd'hui, j'aimerais que vous vous exprimiez par écrit sur l'école, sur ce que cela représente pour vous de faire des études. Vous pouvez choisir la forme qui vous convient le mieux : un texte, un poème, ce que vous voulez. Vous avez vingt minutes. Et je ne veux pas entendre un mot. Allez, au travail !

Je passe les dix premières minutes les yeux dans le vague à me répéter en boucle l'éternelle question : « Pourquoi Marc ne m'a-t-il pas appelée ? » Impossible de penser à autre chose. J'essaie de me remémorer son visage, mais déjà ses traits deviennent flous. Peut-être qu'il n'est pas aussi beau que je l'imagine, après tout ? Peut-être que si je le revoyais maintenant, je me demanderais ce que j'ai bien pu lui trouver ? Et puis, je ne sais rien de lui. Quel genre de garçon est-il vraiment ? Quel style de musique il écoute ? Quels livres...

— Lizzie Foster ! Tu as terminé, je présume ?

M. Johnson m'a fait sursauter.

— Euh... non, monsieur.

Je regarde la feuille blanche devant moi et je fais un gros effort de concentration. Un truc sur l'école... Il ne s'est pas foulé, pour le sujet ! Un truc sur l'école... Quelle barbe ! Qu'est-ce qu'il a dit, au fait ? « Un texte, un poème, ce que vous voulez » ? Je veux écrire des chansons, plus tard. (À moins que je ne devienne astrologue ? Ou même les deux ?) J'en ai déjà écrit des tonnes, à la maison. Alors, je dois bien être capable d'en faire une. Je baisse la tête, me cramponne à mon stylo et je fonce, tout schuss.

Dix minutes plus tard, le prof frappe dans ses mains.

— O.K. C'est terminé. Vu le temps qu'il t'a fallu pour démarrer, Lizzie, je serais curieux d'entendre ta prose.

OH NON ! Pas moi ! Je n'ai jamais montré mes chansons à personne. Jamais. Elles sont bien trop personnelles. Il n'avait pas prévenu qu'il faudrait lire tout haut !

— J'attends, dit M. Johnson en tambourinant des doigts sur son bureau.

Je me lève, les jambes en coton, et je bredouille d'une voix chevrotante :

— C'est... euh... c'est un rap, monsieur. Le titre... euh... Ça s'appelle *Le Rap du bac*.

Et je me jette à l'eau :

— *T'es fier de toi. Tu claques des doigts,*
La zique dans l'casque. Les autres en classe.
Mais tu crois quoi, mon vieux ?
Qu't'es meilleur qu'eux ?

Je viens à peine de commencer que Mary O'Connor et Kate Richards se mettent à ricaner. Je stoppe net, tétanisée.

— Eh bien ? s'étonne le prof.

Les yeux rivés sur ma feuille, je lâche dans un souffle :

— C'est tout, monsieur.

J'ai écrit deux couplets entiers, mais je ne supporte pas de passer pour une débile. Je jette un coup d'œil en coin à M. Johnson. Il semble bien s'amuser, lui aussi.

— Hum... Début prometteur... commente-t-il, d'un ton que je trouve méchamment ironique.

Je me rassieds, morte de honte. Plus jamais ça ! Plus jamais je ne lirai mes chansons à quelqu'un. Surtout si c'est pour récolter des ricanements et des commentaires crétins !

— Je l'ai trouvé super, ton rap, s'extasie Lucy en ouvrant la porte de la cuisine.

— Merci, mais...

L'un des chiens me saute dessus. Je hurle en me retenant au mur pour ne pas tomber :

— Assis, Jerry, assis !

— J'en ai pour trois secondes, promet Lucy en ôtant son manteau qu'elle balance sur une chaise, avant de fourrager dans les placards. Mets la bouilloire à chauffer, s'il te plaît.

Je m'exécute en bougonnant :

— On ne reste pas longtemps, hein ? Il faut que je rentre de bonne heure. Tu n'as pas oublié ?

— Non, non. Marc...

— Oui, Marc.

Je commence sérieusement à m'inquiéter. On est vendredi soir. Le salon a lieu demain. Et Marc ne m'a toujours pas téléphoné.

C'est alors que j'entends de la musique.

On dirait que ça vient d'à côté. Je me dirige vers le salon, et je trouve Lal, l'un des frères de Lucy, vautré sur le canapé, en train d'écouter une cassette.

— C'est qui ?

— King Noz, répond-il.

— Ah oui ! Lucy nous en a parlé. Ils jouent à la soirée du lycée.

— Ouais. Ils sont de mon bahut. Super groupe.

— Je peux m'asseoir deux minutes ?

— Vas-y. Installe-toi.

Je m'affale sur le canapé et je ferme les yeux pour mieux écouter les paroles.

Si tu étais une source,
Je te boirais jusqu'à l'ivresse.
Si tu étais une goutte de pluie,
Je te cueillerais sur mon visage, pour recevoir ta caresse.
Si tu étais une bohémienne,
Je donnerais mon sang, ma vie
Pour te savoir à jamais mienne
Et pour, sans cesse, m'entendre dire
Qu'un seul moment auprès de moi vaut, à tes yeux, plus qu'un empire...

Je suis bluffée.

— Ouah ! Excellent, le chanteur !

— Oh, tout ce qu'ils font n'est pas aussi guimauve ! m'informe Lal. Moi, je préfère les trucs plus hard, tu vois ?

Mouais, je vois...

— Fini ! crie Lucy de la cuisine.

Je me lève tel un ressort.

— Il faut que j'y aille. Salut, Lal !

— Tu ne veux pas écouter la suite ?

— Ch'peux pas. Chuis pressée.

Les astres m'appellent...

À peine arrivée à la maison, je me rue sur le répondeur. Rien. RIEN !

— Ne sois pas trop déçue, Liz, compatit Lucy en me prenant par la main. Viens, j'ai une surprise pour toi.

Elle m'entraîne vers l'escalier. Dans ma chambre, elle me tend une enveloppe.

— Tiens !

— Qu'est-ce que c'est ?

— Tu n'as qu'à regarder.

Je déchire l'enveloppe et qu'est-ce que je trouve à l'intérieur ? Trois invitations pour le salon « Corps et esprit en harmonie » !

— Gé-nial ! Tu les as eues où ?

— C'est mon père qui me les a données. Il tient un stand là-bas. Comme ça, on pourra y aller toutes les trois gratuitement. Donc, même si Marc ne te téléphone pas ce soir, tu pourras y faire un tour pour repérer le stand de sa mère et... tomber sur lui, tout à fait par hasard...

Je lui saute au cou.

— Trop top ! Lucy, tu es vraiment une amie !

Son visage s'illumine. Une vraie gamine devant ses cadeaux de Noël.

— Allez ! dit-elle pour couper court aux effusions. Voyons ce que nos horoscopes nous réservent. J'ai rendez-vous avec Tony demain et je meurs d'envie de savoir comment ça va se passer.

J'allume mon ordinateur et je tape l'adresse de mon site favori. J'entre ma date de naissance et celle de Lucy. Il n'y a plus qu'à attendre la sortie papier. C'est magique !

Tout en appuyant sur « ENTRÉE », je demande à Lucy :

— Et vous allez où ?

— À l'Hollywood Bowl. On commence par un ciné. Et puis, après, on ira se faire un hamburger, ou un truc de ce genre.

— Tu as craqué, hein ?

— OH OUI !

— Tu vas quand même faire gaffe à toi, Lucy, hein ? Tasha n'est pas la seule à s'inquiéter, tu sais ?

— Oh, lâchez-moi avec ça ! Je sais que Tony n'est pas un garçon sérieux. Tasha me l'a assez répété.

Je prends la première feuille qui sort de l'imprimante et je lis en silence.

— Qu'est-ce que ça dit ? s'impatiente Lucy.

— Ça, c'est dingue ! Tout s'explique : Mercure était en rétrogradation. Mais il reprend sa trajectoire normale le 6 décembre. C'est-à-dire... demain !

— Tu m'expliques ?

— Eh bien, Mercure est la planète de la communication. Chaque fois qu'il entre en rétrogradation, ça ralentit un tas de trucs. D'où une série de quiproquos et de malentendus : les rendez-vous se chevauchent ou sont annulés par erreur ; tu ne parviens pas à entrer en contact avec les gens que tu cherches à joindre ; les lettres n'arrivent pas ou pas à la bonne adresse... et ainsi de suite. Il suffit qu'il reparte dans le bon sens pour que tout s'arrange. Alors, tu comprends ? C'est pour ça que Marc n'appelait pas. Parce que Mercure était en rétrogradation.

— Tu crois vraiment ? s'étonne Lucy, l'air sceptique.

— Oui, j'en suis sûre.

Je poursuis ma lecture.

— Oh, Lucy ! C'est super ! Tu as une lune en Taureau et Vénus en aspect hyper-favorable...

— Lizzie, tu me parles chinois, là. Tu ne pourrais pas traduire ?

— Vénus est la planète de l'amour. Elle gouverne le signe du Taureau. Et, vu la situation qu'elle occupera demain, on ne peut pas rêver mieux. On dirait que les choses se présentent plutôt bien pour nous. On devrait passer un bon moment. Un super bon moment, même ! J'ai trop hâte d'y être. Je vais marquer sur mon agenda tous les jours où les astres me sont favorables. J'aurais dû consulter mon horoscope avant. Je n'aurais pas passé toute la semaine à m'arracher les cheveux.

Lucy semble toujours aussi peu convaincue.

— Je suis sûre qu'il n'y a pas que ça, s'obstine-t-elle. Ce serait trop simple.

Mais maintenant que j'ai recouvré le moral, je ne vais pas me laisser entamer. Et je déclame avec emphase :

— Taratata ! Les âââstres sont les maîîîîtres de notre destin. Compris, « jolie Lucy » ?

Elle s'empourpre jusqu'aux oreilles. C'est Tony qui l'appelait comme ça, au début.

— Compris, glousse-t-elle. Compris.

Au même moment, la porte s'ouvre.

— Le dîner est servi, annonce Maman. Tu veux manger avec nous, Lucy ?

— Oh oui, merci, s'enthousiasme ma copine, avec sa spontanéité habituelle.

L'idée de dîner avec Angus et Maman me donne des boutons. On ne va pas pouvoir se parler tranquillement, Lucy et moi.

Je décide de tenter ma chance :

— On ne pourrait pas se monter un plateau ici, Maman ? Allez, s'il te plaîîîît...

— D'accord. Exceptionnellement. Parce que

Lucy est là. Je vous apporte vos assiettes. À condition que vous mangiez sur ton bureau, et non par terre ou sur vos genoux.

— Promis.

Dès qu'elle est sortie, je me lève pour refermer la porte et j'explose :

— Ça me rend dingue, ça ! Elle ne frappe même pas avant d'entrer. Et ma vie privée, alors ! Tasha a eu le droit de faire poser un verrou à sa chambre. Pourquoi pas moi ?

— C'est pareil à la maison, soupire Lucy. J'ai demandé à mes parents la permission d'en mettre un : ils n'ont rien voulu savoir. « Tu ne te rends pas compte ! Et s'il t'arrivait quelque chose ? » Tu parles ! Qu'est-ce que tu veux qu'il m'arrive, dans ma chambre ? Il y a des moments où je me dis que les parents ont trop forcé sur le narguilé[1] quand ils étaient jeunes.

Les siens, peut-être. Ma mère, ça m'étonnerait...

Quelques minutes plus tard, Maman revient avec deux assiettes de hachis Parmentier, joliment présentées sur un plateau, avec deux serviettes immaculées et deux verres d'eau.

— Ton plat favori, Lizzie ! déclare-t-elle.

Je ne peux pas m'empêcher de faire la grimace.

— Maman, tu sais bien que je ne mange plus de viande !

Ma mère pose d'autorité le plateau sur mon bureau.

— Oh, pour l'amour du ciel, Elizabeth ! Comment veux-tu que je le sache ?

1. Pipe orientale.

Elle se tourne vers Lucy.

— Et toi, Lucy, es-tu également prise d'une subite aversion pour la viande ?

— Euh, non, madame. J'adore le hachis Parmentier. Merci beaucoup, madame Foster.

(Lèche-bottes, va !)

Maman se dirige vers la porte sans ajouter un mot. Au moment de sortir, elle se retourne.

— Eh bien, j'espère que tu réussiras à faire entendre raison à miss Contradiction, ici présente. Parce que moi, Lizzie, je commence à en avoir assez de tes caprices. J'ai cuisiné spécialement pour toi. Autant te dire que si tu n'en veux pas, tu te passeras de dîner. Un point, c'est tout !

Elle n'a pas refermé la porte que Lucy se tourne vers moi, la bouche en cul de poule.

— « Miss Contradiction » ! répète-t-elle en imitant l'air pincé de ma mère. Ne t'inquiète pas, je vais manger ta part.

— Oh, pour la purée, pas de problème ! Pour la viande, j'essaierai de trier. Je ne comprends pas pourquoi elle ne peut pas me lâcher cinq minutes. Je ne cherche pas à faire la difficile. Je crois seulement que tu es ce que tu manges.

— Meuuuuuh ! meugle Lucy entre deux bouchées de hachis.

— Lucy ! Tu sais que tu es lourde, parfois !

Mais je ne peux pas m'empêcher de me marrer en la voyant se gondoler toute seule, le nez dans son assiette.

— Allez ! s'écrie-t-elle, une fois son dîner avalé. Passons aux choses sérieuses. Comment tu vas t'habiller demain ?

LE RAP DU BAC
par Lizzie Foster

T'es fier de toi. Tu claques des doigts,
La zique dans l'casque. Les autres en classe.
Mais tu crois quoi, mon vieux ?
Qu't'es meilleur qu'eux ?
Qu'c'est toi la star ? Eux, les ringards ?

Et tu f'ras quoi plus tard ?
Dealer, loser, junkie, clodo ?
Gogo, prolo ou alcoolo ?
C'est ça, ton trip ?
Écoute, pauv' type.

Moi, j'vais t'dire un bon truc :
J'préfère franchement maths sup aux stup'
Ramer, maint'nant, et décrocher mon bac
Pour me r'trouver demain en fac
Que buller et frimer, en écoutant d'la zique
pour finir abonné aux ASSEDIC.

Et tu f'ras quoi plus tard ?
Dealer, loser, junkie, clodo,
Gogo, prolo ou alcoolo ?
C'est ça, ton trip ?
Écoute, pauv' type.

D'autres ont pas l'choix. Toi, t'as pas l'droit.
Saisis ta chance et prends d'l'avance.
Tu veux grimper ? Suffit d'bosser.
T'as un poil dans la main ? Fais pas l'malin.
Lâche ton C.D., r'tourne au lycée.

5

PRÊTE POUR LA BATAILLE

À peine j'ouvre les yeux que je suis déjà tout excitée. Aujourd'hui, c'est le Grand Jour, Noël avant l'heure. Mais d'abord, petit déjeuner. Je n'ai presque rien avalé, hier, et je suis morte de faim. C'est dur, parfois, de vivre sainement. Surtout quand on a un bon coup de fourchette comme moi. S'il y a bien quelque chose que j'aime dans la vie, c'est manger. J'en ai rêvé toute la nuit : un véritable défilé de pizzas avec une montagne de saucisses *pepperoni*, de poulets rôtis et de gros puddings bien bourratifs. Mmm... Miam-miam !

Je descends dans la cuisine à pas de loup. Avant de m'en rendre compte, j'ai dévoré trois toasts tartinés de banane écrasée. Au moins, la banane, c'est sain. Il faudra que je pense à acheter du pain complet au salon. Ils doivent bien avoir une boulangerie bio, là-bas. Peut-être que Maman percutera, si je le laisse dans la corbeille. En attendant, il faut faire des compromis. Et hop ! une autre tranche de pain grillé. Et pourquoi pas quelques petits carrés de ce délicieux chocolat pour qu'ils fondent dessus, pendant que c'est encore tout chaud, tout croustillant, hum ?

Mon petit déjeuner englouti, je monte prendre un bon bain. Je me prélasse dans la baignoire remplie d'eau bien chaude, parfumée avec mes sels de bain relaxants. Puis je file dans ma chambre mettre les vêtements que Lucy et moi avons soigneusement sélectionnés, hier soir : mon top noir zippé, ma mini-mini noire, mes collants rouges et mon chapeau cloche rouge. Une touche de rouge à lèvres « Flamme » pour parfaire le tout, et le tour est joué ! Plutôt cool comme look, non ?

Il ne me reste plus qu'à chausser mes bottines. J'espère que cette jupe ne me fait pas un derrière d'hippopotame... Je jette un dernier coup d'œil dans la glace pour juger de l'effet produit. Heureusement que mes chaussures m'allongent un peu les jambes.

J'attrape ma veste en cuir au vol et me voilà prête pour la bataille. Attention à toi, Marc, j'arrive !

Je descends l'escalier à toute allure et je lance, en passant :

— Je vais à Ally Pally[1], Maman !

— D'accord, ma chérie. Amuse-toi bien, répond-elle en sortant dans le couloir. As-tu assez d'argent ?

— Oui, merci. J'ai fait des économies pour Noël.

C'est alors que son visage s'allonge.

— Où as-tu l'intention d'aller, exactement, dans cette tenue ?

— Je viens de te le dire : à Ally Pally.

Pourvu qu'elle ne me fasse pas une crise. Je dois retrouver Lucy et Tasha à dix heures et demie, et il est déjà dix heures.

— Dans ta chambre !

1. Diminutif d'Alexandra Palace.

— Mais pourquoi ?

— Je t'interdis de sortir d'ici, moulée dans ce... cette parodie de jupe.

— Oh ! Mamaaaaan !

— Dans ta chambre, tout de suite ! Enlève ce rouge à lèvres. Il est beaucoup trop voyant pour une jeune fille de ton âge. Et enfile des collants un peu plus épais, s'il te plaît. Ceux-ci sont trop fins pour la saison.

Je pousse un méga-soupir, mais j'obéis. J'enlève mes collants et ma minijupe, je mets ma maxi noire – celle-là, je ne vois pas ce qu'elle pourrait lui reprocher : elle balaie le plancher – et je fourre les fringues que j'ai retirées dans mon sac. Enfin, je redescends passer la revue de détail.

— Ça va comme ça ?

— Beaucoup mieux, approuve l'adjudant-chef avec un sourire maternel. Amuse-toi bien.

À vos ordres, mon adjudant !

En arrivant à l'Alexandra Palace, les filles et moi restons un petit moment dehors pour admirer la vue. Par ce temps froid et sec et avec ce beau ciel bien dégagé, on peut contempler tout Londres sur des kilomètres.

— C'est vraiment cool, ici, commente Tasha en gravissant les marches du perron qui mènent au vaste hall d'entrée.

C'est une gigantesque serre qui abrite les plus immenses palmiers que j'aie jamais vus. Plantée au beau milieu, une chorale interprète des chants de Noël.

Lucy et Tasha semblent en extase devant les vocalises de la troupe, alors j'en profite pour m'esquiver aux toilettes. J'enfile ma mini et mes collants, et je remets du rouge à lèvres.

— Ouah ! s'exclame Tasha en me voyant revenir. Chaud devant !

Je lui fais un clin d'œil et clame haut et fort :

— Prête pour la bataille !

— À l'attaque ! s'écrient en chœur mes deux copines en me prenant chacune par un bras.

Le Grand Hall est bondé. Premier arrêt : le stand de M. Lovering pour le remercier de nous avoir donné des entrées gratuites.

— Salut, Lizzie ! Oh ! euh... Tu es... remarquable, aujourd'hui.

— Merci, monsieur Lovering. Et merci pour les invitations.

— Tout le plaisir est pour moi. Et la guitare, des progrès ?

— Oui, oui. J'ai bien travaillé les exercices que vous m'avez donnés.

Le père de Lucy ressemble à un vieux bab', avec sa queue-de-cheval. Il faisait partie d'un groupe, dans les années 1970, et il joue encore dans de petits clubs de jazz. Il donne aussi des cours. Je prends des leçons de guitare avec lui tous les quinze jours. Depuis je me suis carrément améliorée.

— Lucy m'a dit que tu avais décidé de modifier ton alimentation ?

— Oui.

— J'espère que tu ne fais pas n'importe quoi, Lizzie. Beaucoup de gens essaient de changer leur façon de se nourrir, sans savoir choisir les aliments dont ils ont besoin. Il faut privilégier les céréales et les légumineuses, le riz et les lentilles, par exemple, ou...

Beurk ! Pour me faire avaler des lentilles, il peut toujours courir ! Mais je n'écoute pas vraiment ce qu'il me raconte. Je n'attends qu'une chose : repérer enfin les lieux pour retrouver Marc.

Je l'interromps :

— Est-ce que vous savez où sont les stands d'huiles essentielles ?

— Là-bas, au fond, répond-il sans prendre la mouche. Je crois qu'ils ont regroupé les stands par secteurs d'activité, cette année.

— Super ! Merci.

Je tire Lucy par la manche et j'adresse à son père un petit signe de la main, avant d'entraîner les filles dans la direction qu'il m'a indiquée. Attention, pas question de jouer les désespérées. Si Marc me voit, je veux qu'il comprenne à quel point je m'amuse sans lui. Pour le lui prouver, je sors d'ailleurs à Lucy et à Tasha la première vanne qui me passe par la tête. Quand il nous verra pliées de rire, toutes les trois, il sera bien obligé de constater que je suis une fille super, avec un méga-sens de l'humour, le genre de nana hypra-cool avec laquelle on ne s'ennuie jamais.

— Qu'est-ce que le comte Aimant de Pourlpry d'Unes a dit quand il a appelé Pizza Hut pour une commande et qu'on lui a demandé ce qu'il voulait ?

— Je ne sais pas, moi, répond Lucy.

— Son nom.

— Et alors ?

— Alors, il l'a prononcé, son nom : « Comptez-m'en deux pour le prix d'une » !

Et histoire d'accentuer l'effet dévastateur de mon humour irrésistible, je renverse la tête en arrière et je pars d'un grand rire de gorge, très diva.

— Ça va, Lizzie ? s'inquiète Lucy.

— Oh oui ! C'est tellement drôôôôôôle ! Et pour prouver mon enthousiasme, je pars d'un hennissement des plus distingués.

Lucy et Tasha échangent des regards consternés.

— Elle craque, murmure Tasha.

— Complètement, renchérit Lucy.

En approchant des stands d'aromathérapie, je suis soudain prise de terribles crampes d'estomac.

— Et s'il avait fait exprès de ne pas me téléphoner ? Et s'il n'avait aucune envie de me revoir ?

— Oh, allez, viens ! s'impatiente Tasha en empruntant l'allée principale. Il n'y a pas trente-six manières de le savoir, de toute façon.

Au premier stand se tient un homme chauve d'un certain âge. Au deuxième, deux dames d'un âge certain. Au troisième, un autre monsieur et, au quatrième, deux filles style étudiantes en fac.

— Tu te souviens de la marque des huiles qu'il vendait ? me demande Lucy. Si ça se trouve, il n'est pas encore là, ou il ne travaille que cet après-midi.

Je lâche un grognement dépité.

— Non. Et n'importe lequel de ces vendeurs pourrait très bien être son grand-père, sa mère ou sa sœur, va savoir !

Au bout du compte, on a dû examiner une bonne douzaine de stands. Huiles essentielles, sels de bain, produits de beauté, diffuseurs, bouquins sur l'aromathérapie... tout y est passé. Aucune trace de Marc.

— On va être obligées de se faire le hall en entier, soupire Tasha. Sa mère a peut-être installé son stand ailleurs.

Je jette un coup d'œil derrière moi. Le hall est immense. Il doit bien y avoir trois cents stands, au total. En étant optimiste...

Je soupire à mon tour.

— On y sera encore dans dix ans ! Non. Il faut trouver un système. Et si on se séparait ? On a toutes les trois un portable. Si vous le voyez, vous n'avez qu'à m'appeler. Sinon, on se rejoint devant la grande horloge vers une heure. O.K. ?

— O.K., acquiesce Lucy. La première qui repère l'oiseau rare rencarde les deux autres. Synchronisation des montres.

Nous calons nos montres à la seconde près et Tasha donne le signal du départ :

— À vos marques. Prêtes ? À l'abordage !

Mauvais plan. Rien ne se passe comme prévu. Maintenant, s'il me voit, je vais avoir l'air d'une pauvre nulle, errant comme une âme en peine dans le hall surpeuplé, avec le vague espoir de le croiser. Je commence à croire que j'aurais mieux fait de ne pas venir.

J'ai beau prendre la chose très au sérieux, je ne peux pas m'empêcher de jeter un petit coup d'œil aux produits exposés. C'est qu'il y a de super-bons trucs, ici. Je traîne, j'achète du pain bio et du muesli, puis un pendule avec un cristal de quartz rose pour ma mère. En attendant, je vais le porter. Je me procure un livre sur le feng shui[1], aussi. En rentrant, j'aménagerai ma chambre en y piochant une masse de conseils.

Je suis en train de discuter des vertus d'une potion dépurative avec un charmant vieux monsieur quand mon portable sonne. Mon cœur fait un saut périlleux. Lucy ou Tasha doit avoir déniché Marc.

— Je me dirige vers l'horloge, annonce Tasha. J'ai regardé partout. Aucune trace du coupable.

Mon cœur se vautre lamentablement. Je consulte ma montre. Non ! Il est bientôt une heure !

— Personne en vue, dit Lucy quand j'arrive sous l'horloge. Et si on allait boire un petit chocolat chaud, pour se remonter le moral ?

— Bonne idée !

Nous traversons le salon jusqu'au snack. Les filles cherchent une table pendant que je passe la commande : deux chocolats chauds et, pour moi, une tisane. Je peux bien leur offrir un pot, avec tout le mal qu'elles se sont donné.

— Beurk ! lâche Tasha en se penchant pour humer le contenu de ma tasse. Comment peux-tu boire un truc pareil ? Ça pue l'eau de vaisselle.

Je bois une gorgée. Je dois reconnaître qu'elle n'a pas tort. Et il n'y a pas que l'odeur qui fait penser à de l'eau de vaisselle ! Mais je suis résolue à suivre mon nouveau régime coûte que coûte. (Et ça me coûte !)

Je soupire, découragée :

1. D'origine chinoise, cette méthode d'aménagement du cadre de vie vise le bien-être et l'harmonie.

— Je ne crois pas qu'il va venir. Quand je pense que mon horoscope me prédisait un aspect favorable de Vénus pour aujourd'hui ! Tu parles !

— La journée n'est pas finie, m'encourage Lucy. Ne laisse pas tomber si vite.

— Au contraire, la contredit Tasha. Laisse tomber. J'ai remarqué un truc : c'est quand on n'y compte plus que les choses arrivent.

J'éclate de rire.

— Ah, merci les filles ! « Laisse tomber », « Ne laisse pas tomber » ! À vous deux, vous feriez un malheur au courrier du cœur !

— Allez, viens ! insiste Tasha. Oublie ton Marc et profitons de l'occasion pour nous amuser toutes les trois.

Nous passons les deux heures suivantes à nous promener dans le salon, à tester les échantillons, à goûter tous les produits offerts en dégustation. Pendant que Tasha confie sa tête aux mains expertes d'un masseur indien, Lucy et moi avons droit à une séance de réflexologie. Super-agréable ! Sauf que Lucy est prise d'un fou rire monumental parce que « ça la chatouille » ! Le top du top, c'est le fauteuil de relaxation. On s'assied dessus et il vous masse le dos de haut en bas et inversement avec des billes qui roulent à l'intérieur. Le pied ! En d'autres circonstances, je me serais éclatée comme une folle, ici. Sauf que je ne parviens pas à surmonter ma déception. C'est la première fois que je trouve un garçon qui me plaît, et on ne me laisse même pas une chance de le connaître et de l'éblouir avec ma brillante personnalité.

J'essaie pourtant de lui trouver des excuses :

— Peut-être qu'il lui est arrivé quelque chose ? Peut-être qu'il a eu un accident ?

— Peut-être que c'est juste un garçon normal, aussi ? rétorque Tasha. Normal, donc, qui ne mérite ni ta confiance, ni que tu te prennes la tête pour lui. Zappe-le.

— Je dois rentrer, dit Lucy. Il faut que je me prépare pour ce soir.

— Moi aussi, annonce Tasha avec un petit sourire malicieux.

Tiens, tiens ! Mlle Williams nous aurait-elle caché un rendez-vous galant ? Une enquête s'impose :

— Pourquoi ? Tu vas où ?

— Faire du baby-sitting.

— Toi ? Faire du baby-sitting ?

Tasha n'a pas besoin de se faire de l'argent de poche : ses parents lui en donnent déjà plus qu'il n'en faut. Et je la connais trop pour ne pas renifler le coup fourré.

— Oui, moi, Tasha Williams, je vais faire du baby-sitting, réplique-t-elle. Chez nos voisins.

— Et ?

— Et il se trouve que leur fils aîné, Nathan, rentre ce soir pour le week-end.

— Et c'est avec lui que tu vas faire du baby-sitting ? la charrie Lucy.

— Non. Il va à un concert, explique Tasha. C'est justement pour ça que je dois garder son petit frère à sa place. Mais je compte bien le voir avant qu'il s'en aille.

— Pourquoi ? Tu as flashé sur lui ? demande Lucy.

— Pas du tout ! Il va en fac en Écosse. Et un charmant jeune homme, que j'ai déjà repéré, va bientôt aller étudier dans la même université. J'espère que Nathan fera sa connaissance et qu'il me le présentera.

À mon avis, ça cache quelque chose. Et j'ai bien l'intention de savoir quoi.

— Et qui est ce « charmant jeune homme » ?

— Le prince William, répond Tasha, imperturbable.

— Le prince William !

— Oui, dit-elle sans se démonter. C'est peut-être le futur roi d'Angleterre. Il faut toujours viser haut.

— Ben voyons ! se gondole Lucy. Mais fais gaffe : tu as de la concurrence. Ce n'est pas Britney Spears qui lui envoyait des e-mails, à une époque ?

— Si. Mais je pense que je suis plus son type qu'elle.

Lucy me regarde et j'ai beau avoir le cœur gros de ne pas avoir revu Marc, je ne peux pas m'empêcher d'exploser. S'il y en a une que la modestie ne risque pas d'étouffer, c'est bien Tasha !

Les filles parties, je décide de traîner encore un peu sur place. Je veux leur trouver des cadeaux pour Noël. Et comme il reste encore une heure avant la fermeture, j'en profite pour me faire dessiner au henné une jolie guirlande de petites feuilles délicates qui s'enroule autour de ma cheville. Trop cool.

Au dernier moment, je suis pourtant prise d'un doute :

— J'espère que ma mère ne va pas flipper, en voyant ça.

— Oh, ne t'inquiète pas ! me rassure la fille qui tient le stand. Mes tatouages s'en vont tout seuls au bout de quelques semaines. Et si tu veux que le tien dure plus longtemps, tu n'auras qu'à venir me voir à la boutique, à Kentish Town. Je te le referai. Ou tu pourras en choisir un autre, si tu préfères.

— Génial !

Ça me donne une idée : je pourrais en offrir un à Tasha et à Lucy comme cadeau de Noël. Elles vont a-do-rer. Ravie et rassurée, je reprends ma tournée des stands.

Je craque sur une barre chocolatée bio, et je fais l'acquisition de quelques filtres d'amour vendus par une femme étrange, toute de noir vêtue. Déjà la plupart des stands ont plié bagage et la foule s'est dispersée.

Il ne viendra pas. Il ne me reste plus qu'à partir, moi aussi. Je me sens horriblement seule, abandonnée, rejetée. Je vais me changer dans les toilettes. Je remets ma jupe maxi noire, je sors du salon et me dirige vers l'arrêt de bus.

Pendant le trajet, j'essaie de me raisonner : « Secoue-toi, Lizzie ! Ce n'est pas comme si tu le connaissais ».

C'est vrai, pour être honnête, je ne peux même pas me souvenir de son visage. Il faudrait que je me change les idées. Et si j'écrivais une nouvelle chanson ? Quand j'écris, je me sens tout de suite mieux. Mais pas question d'écrire une chanson d'amour. Il faut que je trouve un sujet qui n'ait rien à voir avec les garçons, les histoires de cœur et les chagrins d'amour. Au début du trimestre, on a eu un cours sur les pays du tiers-monde et j'ai dit à Lucy que j'en parlerais dans une chanson. Ce serait le moment de m'y mettre. Oui, c'est ça. Une chanson pour l'Afrique, par exemple !

Installée sur mon siège, je commence à réfléchir à la question et, déjà, les mots tourbillonnent dans ma tête.

Le bus n'est pas encore arrivé que je me sens déjà beaucoup mieux. Je me retrouve, enfin ! Je finirai ma chanson à la maison et, après, je regarderai *Friends* en dégustant une barre au chocolat bio. Royal !

Les garçons ? Peuh ! Comme si on avait besoin d'eux !

En remontant la rue de l'arrêt de bus, je tombe sur un groupe de garçons qui vient en sens inverse. Ils sont en tenue de foot, couverts de boue. Je ferais mieux de changer de trottoir. Je sais trop comment sont les garçons entre eux quand ils voient une fille seule. Et puis, je ne suis pas d'humeur à supporter leurs commentaires.

Et là, tout à coup, mon regard se pose sur le garçon du milieu. Mon cœur s'arrête : c'est Marc !

Seigneur ! Qu'est-ce que je dois faire ? Oh, mon Dieu ! Ils se rapprochent à toute vitesse ! Non, je ne peux pas. C'est plus fort que moi. Je ne bouge pas. Je ne traverserai pas. Je veux savoir comment il va réagir.

Les garçons me croisent, tout en discutant du match qu'ils viennent de jouer. Je regarde Marc droit dans les yeux... et... Non ! Je ne le crois pas ! *Je ne le crois pas !* Il passe à côté de moi sans même me jeter un coup d'œil !

Je continue à marcher, l'air de rien. En réalité, j'avance telle une somnambule. Il a fait celui qui ne me voyait pas ! La honte de ma vie ! Je n'ai qu'une hâte : courir me cacher sous ma couette jusqu'à ce que mort s'ensuive.

Au moment où je tourne dans ma rue, j'entends un bruit de galopade derrière moi.

J'accélère le pas. La nuit est tombée. Il fait noir et je ne suis pas très rassurée. Et puis je suis déjà bien assez malheureuse comme ça.

Une main m'agrippe par l'épaule. Je fais un bond de deux mètres. Je me retourne, prête à mettre en pratique les deux ou trois techniques d'autodéfense que j'ai vues en photos dans *Jeune et polie* (ha ! ha !).

C'est Marc.

— Hé ! On ne se serait pas déjà vus quelque part, par hasard ? me lance-t-il.

« Pas vus quelque part » ! Je m'étrangle ! Il ne se souvient même pas de moi !

— Camden, samedi dernier.

— Ah oui ! C'est ça. Désolé pour tout à l'heure : je ne voulais pas montrer que je te connaissais, sinon tous mes potes m'auraient charrié et... Enfin, tu sais ce que c'est...

Non, je ne sais pas. Pourtant je sens que je commence à me calmer. Même avec de la boue partout et les cheveux en bataille, il est encore plus beau que dans mon souvenir. Ouah ! Il a des yeux, mais des yeux ! Avec de longs cils soyeux...

Il m'adresse un sourire contrit.

— J'étais censé t'appeler, non ? Pour le salon... poursuit-il en prenant un air de sale gosse qui a fait une bêtise.

— Ah bon ? Je n'avais pas capté.

— Si, si. Tu m'as même donné ta carte. Un joli petit truc turquoise et argent.

Tiens ! Il n'a pas oublié...

Il plonge la main dans son sac de sport et sort son portefeuille.

— Tu vois ? Je l'ai même sur moi.

Je prends une profonde inspiration et je lui demande, en essayant de rester aussi cool que possible :

— Tu as un stylo ?

— Non.

— Pas grave. J'en ai un.

Je fouille dans mon sac et je lui prends ma carte des mains pour inscrire mon nouveau numéro, tout en lui expliquant le but de l'opération :

— J'ai changé de portable depuis que j'ai fait ces cartes.

— O.K., répond-il en rangeant la carte dans son portefeuille. Au fait, tu y es allée ? À Ally Pally ?

— Non. (Je n'allais tout de même pas lui avouer que j'avais passé la journée à le chercher !) Et toi ?

— Nan. C'est ma cousine qui y est allée à ma place. Ça la branche, elle, tous ces trucs-là.

Il danse d'un pied sur l'autre, puis me fait un super-grand sourire.

— Écoute, je suis désolé de ne pas avoir appelé. C'était le délire, ces jours-ci. Qu'est-ce que tu dirais si je t'appelais la semaine prochaine pour qu'on se voie un de ces soirs ?

Mon cœur se remet à cogner dans ma poitrine. Alors il ne s'en fiche pas...

Je hausse les épaules et je réponds d'un ton désinvolte :

— Peut-être.

À ce moment-là, ses copains réapparaissent au coin de la rue.

— Hé ! Marc ! Qu'est-ce que tu fous ? Tu viens, ou quoi ? braille l'un d'entre eux.

— Il faut que j'y aille. Et je t'appelle. Promis, Lizzie Foster.

Sans un mot de plus, il file rejoindre sa bande.

Ouah ! Il a même retenu mon nom ! Donc, mon horoscope n'a pas menti : Vénus m'était bien favorable, aujourd'hui. Et Tasha avait raison aussi : c'est quand on n'y compte plus que les choses finissent par arriver.

CHANSON POUR L'AFRIQUE
par Lizzie Foster

Corps desséchés, sol craquelé.
Que peuvent de vagues promesses lointaines
Pour aider cette terre assoiffée,
Et ce peuple aux yeux affamés
Dont nos cartes de vœux sont pleines ?

Faites qu'il pleuve sur la terre africaine,
Que la pluie lave ses plaies et ses peines.

Mais les nuages qui là-bas s'amoncellent
Loin d'annoncer un prochain répit,
Prédisent des jours plus sombres et plus cruels
Pour une Afrique à l'agonie.
Faites qu'il pleuve sur la terre africaine,
Que la pluie lave ses plaies et ses peines.

Chars et bombes, larmes et cris,
Belles limousines blanches roulant dans la fange,
Éclaboussant de sang les visages meurtris.

Trous de la dette et des mines,
Creusés par des mains aussi sales que l'argent
qui les a achetées,
Au profit de pays richissimes
Qui n'ont rien à se reprocher.
Mais comment faire pour les combler ?
Hormis donner, ou bien prier ?

Faites qu'il pleuve sur la terre africaine,
Que la pluie lave ses plaies et ses peines.
Ô terre d'Afrique,
Si belle et si magique !

6

PHILTRES D'AMOUR

D'après mon horoscope, la semaine commence plutôt en douceur, mais les choses vont s'accélérer à partir de vendredi. Et, vu l'aspect de Vénus, les conditions s'annoncent idéales pour un week-end en amoureux. Et si Marc m'appelait en fin de semaine pour me donner rendez-vous samedi ou dimanche ? Top !

Je n'ai pas vu défiler les jours. Qu'est-ce que ça fait du bien de ne plus attendre que le téléphone sonne ! Enfin... Il a quand même promis qu'il m'appellerait. Donc, j'y pense. Je mentirais si je prétendais le contraire. Mais Tasha a raison, il faut leur laisser le temps...

Pourtant, les jours passant, les vieilles angoisses sont remontées à la surface.

— Récapitulons, conseille Lucy. Qu'est-ce qu'il t'a dit exactement ?

— Qu'il m'appellerait cette semaine.

— « Cette semaine » ? Eh bien, ça peut être n'importe quel jour jusqu'à dimanche, affirme Tasha. Relax, Liz !

Facile, pour elle : elle n'a personne dans la tête, en ce moment (le prince William, ça ne compte pas !). Et puis, même. Quand elle a un garçon en vue, il appelle toujours. Ils appellent tous. Quant à Lucy, elle est tout sauf zen. Son premier rendez-vous avec Tony s'est super-bien passé et elle le revoit ce soir, après les cours. Bref, elle ne tient pas en place.

— N'empêche qu'il répète sans arrêt que je suis trop jeune pour lui, nous confie-t-elle.

— Ça, à mon avis, c'est parce qu'il voudrait bien te tripoter, en déduit Tasha. Et qu'il sait pertinemment que si jamais il essaie, je le tue.

— Il n'est pas comme ça, proteste Lucy.

Tasha me jette un regard en coin et lève un sourcil : elle a des doutes. Et je dois bien avouer qu'elle n'est pas la seule...

Vendredi soir. Je rentre hyper-tôt à la maison. Pas question de rater mon coup de fil. En attendant, je regarde *Alerte à Malibu*, les pubs, *Melrose Place*, les pubs... (On s'occupe comme on peut.) Pourtant les heures passent et je commence à me poser des questions. Marc a-t-il seulement eu trois secondes l'intention de me revoir ?

Je passe un coup de fil à Lucy et je lui demande de m'appeler, à la maison et sur mon portable, pour vérifier que les deux téléphones fonctionnent.

Le fixe d'en bas sonne deux minutes plus tard.

— Téléphone familial en état de marche, m'annonce Lucy. Test du portable, maintenant.

Moins d'une minute plus tard, mon mobile sonne à son tour.

— Vos deux lignes marchent parfaitement, mademoiselle Foster, déclare-t-elle en imitant le ton coincé d'un préposé des télécoms. Tout est en ordre, Lizzie, répète-t-elle en reprenant sa voix normale. Et, euh... tu n'aurais pas une minute ?

Soudain, je réalise que Marc est peut-être en train d'essayer de me joindre. Je préfère abréger.

— Ça ne peut pas attendre, Lucy ? Je ne voudrais pas occuper la ligne, tu comprends.

— O.K., répond-elle – je perçois de la déception dans sa voix. Je te parlerai demain, alors. Quand Tasha ne sera pas là, d'acc' ?

Dès qu'elle a raccroché, je suis prise de remords. Elle voit Tony, ce soir. C'est sans doute ce dont elle voulait discuter avec moi. Elle ne peut pas tout dire devant Tasha, vu que Tony est son frère. Oh, j'espère qu'elle n'a pas de problème... Promis, demain, je rattrape le coup.

Bon. Et maintenant, je fais quoi ? Il n'y a plus rien de bien à la télé... Je sais ! Je prends les philtres d'amour que j'ai achetés au salon et je m'installe sur mon lit, bien résolue à tout tenter pour que ce maudit téléphone se décide enfin à sonner.

« Charme pour s'attirer les faveurs d'un jeune homme », dit la notice. Exactement ce qu'il me faut ! « Écrivez le nom de l'être aimé sur un morceau de papier, saupoudrez-le de sucre, pliez-le et placez-le sous votre oreiller. Endormez-vous en pensant à lui. »

Je découpe une feuille de papier violet (violet : couleur magique par excellence, c'est bien connu) et j'écris en lettres élégantes le nom de Marc que j'enferme dans un cœur. Et puis je descends à la cuisine.

Sucre brun ou sucre blanc ? Est-ce que ça changera quelque chose ? Je préfère le brun, c'est plus naturel. J'en inonde généreusement mon petit bout de papier (encore une chance que Maman et Angus soient en train de regarder la télé à côté. S'ils me voyaient, je crois bien qu'ils me feraient enfermer !) et je remonte le mettre sous mon oreiller. Au même moment, le téléphone sonne. Sidérant ! Je me rue dans l'entrée pour répondre.

— Est-ce que Papa est là ? me demande Claudia.

— Oui. Je vais le chercher. Mais ne reste pas trois heures en ligne. J'attends un coup de fil important.

Je me plante sur le palier en attendant qu'Angus termine sa conversation. DIX MINUTES ! Ça fait peut-être dix minutes que Marc essaie de m'appeler ! Ce qu'il nous manque, dans cette maison, c'est le « signal d'appel ». Au moins, on peut savoir que quelqu'un essaie de nous joindre, même quand on est déjà en ligne. Je vais inscrire ça sur ma liste de Noël. Juste après le verrou pour ma chambre.

Dès qu'Angus a raccroché, je retourne me vautrer sur mon lit. Je tente de lire un peu... Impossible de me concentrer avec la ronde infernale des « peut-être » qui s'est remise à tourner dans ma tête. Peut-être qu'il a vraiment perdu mon numéro, cette fois ? Peut-être que... peut-être... peut-être... zzzzzzzzz...

J'ai dû m'endormir un moment, parce que, quand la sonnerie de mon portable me réveille, il fait jour et on est déjà samedi.

Heureusement que j'ai entendu !

— Lizzie, c'est moi, Tasha. Est-ce que Marc a appelé ?

— Non. Tu crois que je devrais aller à Camden pour voir s'il y travaille aujourd'hui ?

— NON ! hurle Tasha. Non, non et non ! Et puis, Lucy et moi, on a décidé d'avoir une longue conversation avec toi, ce matin. On est vraiment inquiètes, tu sais ? Qu'est-ce que tu lui dirais, si tu le voyais à Camden, de toute façon ?

— Eh bien, je pourrais toujours lui raconter que je viens terminer mes achats de Noël.

— Non, Lizzie. Je ne te laisserai pas faire ça. Ça crèverait les yeux. Tu aurais l'air accro, et s'il y a une chose que les garçons détestent, c'est bien les pots de colle. Lizzie, qu'est-ce qui t'arrive ? D'habitude, c'est toi qui raisonnes Lucy.

— Oui, je sais. J'espère, d'ailleurs, qu'elle ne va pas avoir de problème avec ton frère.

— N'essaie pas de faire diversion. Ça ne prend pas. Tu n'iras pas à Camden aujourd'hui.

— Allez, Tasha ! Viens avec moi. Je le ferais, moi, si tu me le demandais.

— Non. Tu vas encore te mettre dans tous tes états, si tu le vois. Tu vas perdre tes moyens et il va en profiter. Et puis même, après, tu passerais ton temps à te demander s'il t'aurait appelée ou non. Et imagine qu'il ne soit pas là, comme la dernière fois. Tu ressortirais encore plus déprimée.

Inutile d'argumenter avec mademoiselle Je-Sais-Tout quand elle est remontée à bloc comme ce matin. Elle aura toujours raison. Il ne me reste plus qu'à baisser les bras.

— Bon. Alors qu'est-ce qu'on fait ?

— Je dois retrouver Lucy à Hampstead, me répond-elle. On t'attend là-bas dans une demi-heure. À tout'.

Je n'ai pas le temps de répliquer, elle a déjà raccroché. J'aurais pourtant voulu lui dire que je ne pourrai pas rester longtemps : je dois aller chez mon père.

Tasha et Lucy ont tout essayé pour me remonter le moral. Mais je suis certaine qu'il est déjà trop tard, que c'est fichu avec Marc. Je me suis repassé des millions de fois le même disque : chaque parole que j'ai prononcée, chaque mot de ses réponses, chaque intonation, chaque expression, chaque geste...

— Je suis sûre qu'il ne téléphonera pas. Je le sens. C'est ma faute. J'ai voulu la jouer trop distante, quand je l'ai revu, samedi dernier. Il a dû penser que ça ne valait pas la peine, que c'était perdu d'avance.

— Cool, Lizzie, me répète pour la centième fois Tasha. Tu te poses trop de questions.

Assises à une table de café, dans la grand-rue de Hampstead, Tasha et Lucy sirotent leurs cappuccinos pendant que j'ingurgite ma camomille.

— Ma vie est un échec. Je n'arriverai jamais à décrocher un petit ami. Je vais rester toute seule et je finirai vieille fille. Et en plus, j'ai un derrière d'hippopotame.

— Un popotin d'hippopotame ! s'esclaffe Lucy.

— Très drôle !

— Moi, pleurniche-t-elle, on me donne douze ans, alors que j'en ai quatorze.

C'est un petit jeu, entre nous. Dès qu'il y en a

une qui commence à se plaindre, c'est à celle qui renchérira le mieux pour décrocher la palme de la fille la plus malheureuse de la terre.

— Plus depuis que tu t'es fait couper les cheveux, Lucy, rétorque Tasha. Maintenant, on te donne bien... douze ans et demi !

— Oh, la teigne ! glapit Lucy en lui pinçant le bras. Et puis, vous m'excuserez, enchaîne-t-elle, car je n'ai pas encore fini. Je ne fais que commencer. Parce que, question tares, je ne voudrais pas me vanter, mais je suis plutôt gâtée. Je vous signale qu'en guise de parents, on m'a quand même refourgué deux vieux bab' qui croient que le temps s'est arrêté en 1970 !

Il y en a qui ne connaissent pas leur bonheur ! Trop écœurant ! D'ailleurs, je proteste :

— Moi, je les trouve super-cool, tes parents. Je voudrais bien en avoir des comme ça. Parce que c'est encore un truc que je peux ajouter sur ma liste, moi : j'ai la mère et le beau-père les plus rasoir de la planète.

— À moi, s'impatiente Tasha. Je fais un mètre soixante-quinze et je vais finir par croire que tous les garçons, à quinze kilomètres à la ronde, sont des nains de jardin. Ou des Hobbits. Ou que leur programme de croissance a bogué vers les dix ans.

Je hausse les épaules et je lui balance d'un ton hyper-snob, en rejetant mes cheveux en arrière :

— Qu'est-ce que ça peut bien faire, ma chérie, puisque tu vas épouser le prince William ? Il est grand, lui, non ?

Tasha rit de bon cœur avec nous.

Deux minutes plus tard, comme elle s'eclipse aux

toilettes, Lucy se penche vers moi, avec une mine de conspiratrice.

— Lizzie, il faut que je te parle, chuchote-t-elle. C'est... à propos de Tony.

— Qu'est-ce qu'il a ?

Elle se trémousse sur sa chaise.

— Eh bien, tu te souviens de ce que je racontais hier, comme quoi il pensait que j'étais trop jeune pour lui et tout ça ?

— Oui. Et alors ?

— Alors, Tasha avait raison.

— Raison sur quoi ? Que Tony voulait te tripoter ?

Elle hoche la tête.

— Jusqu'à maintenant, tout allait bien : il se contentait de m'embrasser et on flirtait un peu. Sauf qu'hier soir, il m'a dit qu'il voulait aller plus loin.

— Aïe !

— Je ne veux pas, moi. Je ne me sens pas prête pour ça. Pourtant, si je refuse, il va me larguer pour une fille qui, elle, acceptera. C'est l'horreur, parce que je l'aime vraiment beaucoup. On ne peut tout de même pas se forcer, juste pour garder son petit copain ?

— C'est le problème, quand on sort avec des types plus vieux : ils ont les mains baladeuses.

— Comment je fais ?

— J'ai ce qu'il te faut.

Lucy lève vers moi un regard plein d'espoir.

Je lui explique le plan :

— Tu as une photo de lui sur toi ?

— Oui. On a fait des Photomaton, hier. Qu'est-ce qu'on s'est marrés !

— Bon. Tu vas lui jeter un sort. Tu vas couper son côté de la photo et tu vas le mettre au congélateur. Ça lui rafraîchira les idées, si tu vois ce que je veux dire...

— Oh, Lizzie ! s'écrie Lucy, hilare. Arrête de délirer ! Tu ne peux pas être sérieuse deux minutes ?

— Qu'est-ce qu'il y a de si drôle ? demande Tasha en revenant s'asseoir à notre table.

— Rien, répond aussitôt Lucy.

Et elle se referme comme une huître.

J'essaie de détourner la conversation :

— Lucy était juste en train de me raconter la dernière bêtise de Ben et Jerry.

— Ah bon, fait Tasha, pas vraiment captivée. À propos du prince William et moi...

Lucy pousse un discret soupir de soulagement...

J'ai laissé les filles pour prendre le métro jusqu'à Chalk Farm, la station la plus proche de la nouvelle adresse de mon père, là où il s'est installé avec sa seconde femme, Anna, et leur petit garçon, Tom. Tom est un amour. Il n'a que trois ans. J'aime bien aller chez Papa. C'est beaucoup plus cool qu'à la maison. Je suis sûre que c'est Maman qui l'a fait fuir, avec son obsession de l'ordre et du ménage.

Papa est prof de lettres à la fac et, chez lui, c'est toujours plein de bouquins, de journaux et de paperasse dans tous les coins. Je m'y sens bien. Au moins, c'est un lieu habité. Pas cette espèce de truc bâtard entre l'hôpital et l'hôtel dans lequel j'ai l'impression de croupir.

Ça m'a crevé le cœur quand Papa est parti. Je n'avais que sept ans, à l'époque, et pendant des années j'ai cru que c'était ma faute. J'étais sûre d'avoir fait quelque chose de mal.

Et puis, un jour, mes parents m'ont fait asseoir entre eux pour m'expliquer que, quelquefois, en dépit de l'affection sincère et de l'estime qu'ils gardent l'un pour l'autre, les gens ne peuvent plus vivre ensemble. Et ils m'ont tous les deux juré que quoi qu'il ait pu se passer entre eux, et quoi qu'il puisse se passer à l'avenir, ils m'aimeraient toujours autant.

Je me suis tout de suite sentie beaucoup mieux. Du moins, jusqu'à ce qu'Angus vienne s'installer chez nous, deux ans plus tard. Dès le début, je l'ai pris en grippe. J'ai même demandé à ma mère si je pouvais partir chez mon père, quand il est arrivé. Mais Papa vivait dans un petit studio, à ce moment-là, et il n'y avait pas de place pour moi.

En fin de compte, j'ai décidé qu'il n'y avait qu'une seule façon de supporter la présence d'Angus. C'était de le considérer comme une sorte de pensionnaire ou de locataire à l'année : d'être polie avec lui, sans plus. Bon, il se trouve que le locataire en question couche dans le lit de ma mère... Oh ! là, là, je préfère ne pas penser à ces trucs-là. Dès que l'idée me traverse l'esprit, je la chasse aussitôt. Je ne veux même pas en entendre parler.

J'étais ravie de passer l'après-midi chez Papa. Je me voyais déjà confortablement installée, dans mon petit coin, en train d'écrire de nouvelles chansons...

— Ne fais pas attention au désordre, m'annonce Papa en m'ouvrant la porte, un pinceau à la main. Nous sommes en train de repeindre le bureau.

J'éclate de rire en voyant les grandes balafres blanches qui zèbrent sa belle crinière noire.

— Oh, Papa ! Tu as de la peinture plein les cheveux ! Tu as réussi à en mettre un peu sur le mur, au moins ?

— Salut, Lizzie ! me lance Anna, en arrivant derrière lui. Et bienvenue dans cette maison de fous !

Anna était une des étudiantes de Papa, quand ils se sont connus, il y a cinq ans. Une étudiante « très mûre pour son âge », m'avait-il précisé. Enfin, mûre ou pas, elle a quand même douze ans de moins que lui... C'est une jolie brune pulpeuse, avec de longs cheveux ondulés aux reflets auburn. Ils vont bien ensemble, tous les deux. Papa a le look du prof de fac type : jeans, blouson de cuir et, la plupart du temps, la tête de quelqu'un qui est tombé du lit. Quant à Anna, avec ses jeans délavés et ses grands pulls fatigués, elle a toujours l'air d'une étudiante. Je crois bien que je ne l'ai jamais vue une seule fois en jupe.

J'étais super-contente quand Papa l'a rencontrée. Je m'inquiétais pour lui, toujours tout seul dans son petit appartement. Avec elle, on peut vraiment parler de n'importe quoi. Quand ils ont décidé de se marier, j'ai été la première à les féliciter. J'avais l'espoir secret qu'ils trouveraient une maison assez grande pour que je puisse vivre avec eux. Mais quand ils ont emménagé, Tom était déjà en route – et je ne vois pas où ils pourraient me caser, à moins que je ne dorme sous la table basse du salon !

J'enjambe les cartons et les pots de peinture qui encombrent le couloir pour accéder à la cuisine. J'ai l'impression que, question chansons, je ne vais pas avancer beaucoup, cet après-midi.

— Lizzie, ma puce... commence Papa.

— Ouiiiii ?

Je connais ce ton. C'est celui qu'il emploie toujours quand il a quelque chose à me demander.

— D'abord, j'ai un livre pour toi, m'annonce-t-il.

Je me marre intérieurement. Encore un qui ira rejoindre ma collection, en bas de la penderie. Il me donne tout le temps des livres à lire. Il l'a toujours fait, depuis que j'ai su déchiffrer deux mots. J'ai eu *Guerre et Paix* pour mon neuvième anniversaire ! Je crois qu'il est un peu déconnecté, question littérature pour ados.

Il prend un bouquin posé sur une étagère et me le tend.

— Dorothy Parker, précise-t-il. Je suis sûr que tu vas aimer.

— Merci, Papa.

Je ne suis pas plus convaincue que d'habitude.

— Je pense que tu vas accrocher, honnêtement, renchérit Anna (qui l'a toujours soutenu dans ses choix, même quand il me lestait de pavés dont l'épaisseur, à elle seule, suffisait à me donner envie de partir en courant).

— O.K. J'y jetterai un œil.

Puis Papa me sort son sourire des grands jours et me susurre :

— Nous ferais-tu l'immense plaisir d'emmener Tom faire un tour ailleurs, pendant un moment ? Anna et moi voudrions terminer ces travaux de peinture et ce serait tellement mieux si Tom n'était pas dans nos jambes.

Sixième sens ou instinct de conservation ? (J'imagine que s'il a voulu jouer avec les pots de peinture, il a déjà dû se faire sonner les cloches.) Tom trottine vers moi et vient se blottir contre mes jambes. Je fonds.

— Bien sûr, Papa. Pas de problème.

— Lizzie, tu es un ange, me remercie Anna. Je vais chercher son manteau.

— Ah ! Parce que tu veux dire « maintenant » ?

Je viens à peine d'arriver !

C'est l'inconvénient d'avoir deux maisons : on a deux fois plus de corvées à se coltiner (entre autres...).

Je me mets donc en route pour le parc, en tenant Tom par la main. J'en profite pour faire un peu de lèche-vitrines et j'essaie de le distraire en lui faisant admirer les décorations de Noël des boutiques de Primrose Hill. Je tombe alors en extase devant une hallucinante petite robe noire en velours : un bi-jou ! Voilà qui ferait un super-cadeau de Noël, non ?

Tom me tire de ma contemplation en me secouant la main.

— Mamançoires, bafouille-t-il en pointant le doigt vers le bout de la rue.

— Magasins, je lui réponds en désignant les guirlandes lumineuses et les grosses boules multicolores dans les devantures.

Malheureusement, Tom n'a pas du tout l'air impressionné. Comme la plupart de ses congénères mâles, il n'est pas particulièrement intéressé par le shopping.

— Mamançoires, s'obstine-t-il.

— O.K., balançoires.

Quand nous arrivons à l'aire de jeux, je dois constater que des tas de mères poules m'ont précédée avec leur progéniture : toutes les balançoires sont prises d'assaut.

Je me replie donc vers un banc, en me demandant ce que je vais bien pouvoir inventer pour amuser un gamin de trois ans. Au même moment, mon portable sonne.

Je commence à fouiller frénétiquement dans mon sac. Du coin de l'œil, je vois quelqu'un avancer vers moi avec un bambin à la main, mais je ne fais pas attention. La personne en question tient un téléphone contre son oreille.

Comme je m'apprête à répondre, le garçon s'immobilise juste en face de moi. Il regarde son portable avec stupéfaction, puis me regarde, avec des yeux ronds.

— Lizzie ! Je viens juste de t'appeler ! s'écrie Marc.

J'en reste baba.

— Je... je le crois pas !

— Alors là, moi non plus ! Un coup de fil et tu es là, en face de moi. C'est trop *space* !

J'éteins machinalement mon portable et le range dans mon sac.

— Synchronicité.

— Tu l'as dit ! s'exclame-t-il. C'est quoi, au fait ?

— C'est quand tu penses à une chose et qu'elle

se produit aussitôt. J'ai lu un bouquin là-dessus. Enfin, je ne sais pas si je m'explique très bien.

— Tu ne serais pas un peu sorcière, par hasard ? demande-t-il.

Je repense à mes philtres d'amour, au charme caché sous mon oreiller, et je réponds avec un sourire mystérieux :

— Possible...

Après, on s'est amusés comme des petits fous. Je ne suis peut-être pas sorcière, mais cet après-midi-là a été carrément magique.

Marc se retrouvait avec sa petite sœur sur les bras, comme moi avec Tom. Alors on a passé des heures à faire les imbéciles sur les balançoires et les toboggans. On a joué comme de vrais mômes. Après, on a même fait des tours de manège ! Marc a été fantastique. Il connaît des tas de trucs pour distraire les gamins et Tom était aux anges.

On n'a pas eu le temps de discuter beaucoup. Mais en regardant Marc se rouler dans l'herbe, avec sa petite sœur et Tom, qui le prenaient manifestement pour un trampoline, je me suis dit que ce n'était pas bien grave, que c'était déjà formidable d'être avec lui.

Et puis, mon portable a sonné.

— Nous pensions que tu allais rentrer bien plus tôt, s'est étonné Papa d'une voix inquiète. Où es-tu donc passée ?

J'ai éclaté de rire. Où j'étais passée ? Quelque part, dans l'immensité cosmique, entre la Terre et l'infini...

7

LANGUE-TROP-BIEN-PENDUE

— Alors, tu sors avec Marc ? demande Lucy, pendant la pause.

— Pas exactement. Enfin, pas encore. Mais il a dit qu'il allait me passer un coup de fil cette semaine pour qu'on se voie. Et cette fois, je sais qu'il va le faire, parce qu'il était là, juste en face de moi, son portable à la main. Oh ! Le truc hallucinant ! J'étais sur ce banc. Je farfouillais dans mon sac pour répondre au téléphone qui sonnait. Je lève les yeux, et qui je trouve devant moi ? Marc en train de m'appeler ! Comme dans un film. Et justement, mon horoscope annonçait encore une journée propice aux rencontres. Incroyable, non ?

— Comment tu peux savoir que c'était vraiment lui ? lâche Tasha avec une moue sceptique. Il a très bien pu entendre ton portable sonner et en profiter pour prétendre que c'était lui qui t'appelait. Après tout, tu n'as pas répondu. As-tu vérifié que ce n'était pas un numéro que tu connaissais ?

Je secoue la tête.

Qu'est-ce qu'elle a, Tasha, en ce moment ? Elle doit être jalouse parce qu'elle n'a personne. Tu parles d'une rabat-joie !

Elle se balance d'un pied sur l'autre, en regardant le bout de ses chaussures.

— J'ai essayé de t'appeler, samedi après-midi, et tu n'as pas répondu.

— Qu'est-ce que ça peut bien faire, Lizzie ? s'empresse d'intervenir Lucy en voyant mon visage se décomposer. Vous étiez ensemble. C'est l'essentiel.

Trop tard. Mon petit nuage rose vient de se métamorphoser en gros nuage noir. Sous le coup d'épingle de Tasha, ma bulle magique crève telle une baudruche et je tombe comme une pierre. L'atterrissage est plutôt rude. La cloche sonne et, sans souffler mot, je tourne les talons pour entrer en classe. Alors là ! je ne suis pas près de reparler à Tasha ! Elle a tout gâché !

— Oh, Lizzie ! s'écrie-t-elle en se précipitant vers moi avant que je rentre en classe. Je suis désolée. Je ne voulais pas...

— Tasha et sa langue trop bien pendue ont encore frappé ! lance Lucy. Bravo !

Après les cours, je rentre directement à la maison. Toute seule. Quelle idiote j'ai été ! Je suis lamentable. Je n'ai pas le courage de faire un saut chez Lucy. Je ne me sens pas capable de les affronter, Tasha et elle. De toute façon, je ne sais plus où j'en suis : j'ai besoin de remettre un peu d'ordre dans mes idées. Je suis complètement déboussolée.

Chaque soir, sur le trajet du retour, je passe devant le Pizza Hut. Et chaque soir, je me dis que j'aurais grand besoin d'un petit remontant, en ce moment. Une bonne quatre-fromages, bien épaisse, bien chaude, par exemple. Je sais, je sais : directement sur les hanches. Et alors ? Au point où j'en suis ! Difficile de continuer à manger sain quand on est carrément larguée. Et après tout, quelle importance ? D'accord, je suis ce que je mange. Parce que c'est mieux d'être une laitue ramollo, peut-être ? Peuh !

Qu'est-ce qu'elles sont looooongues, ces soirées ! Comme si chaque minute durait une éternité. Je suis assise là, dans ma chambre, à attendre que le téléphone sonne. Et il ne sonne pas. Si au moins j'avais le numéro de Marc, je pourrais l'appeler. Je ne connais même pas son nom de famille !

Allez ! Ce soir, c'est décidé, je fais quelque chose de constructif. Je vais lire mon bouquin sur le feng shui.

D'après ce qui est écrit, chaque pièce est divisée en plusieurs zones représentant chacune un aspect de notre vie (créativité, argent, connaissance, famille, carrière, relations...). Chaque zone est chargée d'énergie positive ou négative en fonction de l'orientation de la pièce (nord, sud, est, ouest).

Je me munis de ma boussole et je fais les calculs requis. Voilà ce qui cloche ! J'ai mis ma corbeille à papier dans le coin des relations. Un désastre ! Ça signifie que je jette tout ce dont je ne veux pas dans mes relations. Pas étonnant que Marc n'ait pas téléphoné !

Il faut que je revoie l'aménagement de ma chambre. Je me lance aussitôt dans une réorganisation radicale.

Puis je m'attaque à la salle de bains.

— Qu'est-ce que tu fabriques ? demande Angus en me trouvant à genoux, derrière la cuvette des toilettes, en train de scotcher sur le conduit de vidange le quartz rose que j'ai acheté à Maman pour Noël. D'après le livre, en plaçant un cristal sur le tuyau, on peut inverser le processus et faire refluer l'énergie positive vers le haut.

— Rien, rien.

— Rien ?

Il s'appuie de la main contre le chambranle, prêt, semble-t-il, à me dire quelque chose. Puis il paraît se raviser et soupire, avec un haussement d'épaules fataliste :

— Oh ! Après tout...

Je n'allais tout de même pas perdre ma salive à lui expliquer que, dans la salle de bains, nos W.-C. sont installés en plein dans le secteur des relations et que nous tirons la chasse sur toute la bonne énergie relationnelle ! En dehors du *Financial Times* et des polices d'assurance, il est incapable de comprendre quoi que ce soit.

Et encore une soirée déprime, une !

Faute d'avoir trouvé mieux à faire j'ai déjà descendu la moitié d'un paquet de cookies. Je me reprends *in extremis*, avant de succomber à l'autre moitié. Il faut que j'arrête de me venger sur des rondelles de pâte industrielle, farcies de pépites de machin marronnasse bourré de graisses et de calories inutiles. Je sais ! Un peu de gym avec la cassette d'exercices de Maman. « Cuisses, abdos, fessiers » : tout un programme ! « Un corps de rêve en quatre semaines », paraît-il : que demander de plus ?

Ce qu'elle ne vous dit pas, la cassette, c'est que le lendemain vous serez tellement raide et courbaturée que c'est à peine si vous pourrez marcher...

Encore une soirée déprime en perspective et toujours RIEN À FAIRE. J'ai fini mes devoirs et il n'y a aucune émission intéressante à la télé. Bon, je vais jeter un coup d'œil au livre sur Dorothy Parker que Papa m'a donné. (C'est dire !)

Elle avait l'air plutôt cool, comme fille, Dottie. Elle vivait à New York, dans les années 1920, et passait son temps à discuter avec ses copains et à écrire. Elle a l'air d'avoir eu une vie sentimentale plutôt agitée et certains de ses amoureux lui en ont fait voir de toutes les couleurs. Mais elle est toujours restée positive. Elle savait tourner ses déboires en dérision. Elle avait l'habitude de retrouver les autres écrivains de son temps autour d'une table, dans un hôtel (la fameuse « Table ronde de l'Algonquin »). Elle les faisait mourir de rire avec ses poèmes sur les histoires d'amour qui finissent mal... en général. C'étaient les Années folles : une époque formidable, apparemment. J'aimerais bien devenir comme elle, plus tard. On a une table ronde, en bas, dans la salle à manger. Tasha et Lucy pourraient venir et on se réunirait, toutes les trois, comme Dorothy le faisait avec ses amis. Il y a une photo d'elle sur la couverture. Elle avait un look carrément spécial. D'ailleurs, ça me donne une idée...

Je descends chercher les ciseaux dans la cuisine

et je m'enferme dans la salle de bains – la seule pièce qui ait un verrou, dans cette maison. J'aime bien mes cheveux. C'est sans doute ce que j'ai de mieux. Je les porte longs, toujours libres. Banal, quoi. Ce le serait peut-être moins si je me coupais une frange à la Dorothy Parker ? Je ramène une ou deux mèches sur le devant et clac ! Voilà ! Je me donne un coup de peigne sur le front. Pas mal. Sauf que c'est un peu plus court d'un côté que de l'autre. J'en recoupe un petit bout. Oups ! Trop. Je ferais mieux d'arranger ça. Oh, non ! Cette fois, c'est de travers. Je coupe encore et je recule pour juger de l'effet produit. Les larmes me montent aux yeux. Un balai-brosse vient de me pousser au sommet du front ! J'essaie de rabattre les épis sous mes cheveux longs pour camoufler le désastre. Peine perdue : ils rebiquent obstinément.

Mon Dieu ! Je me suis massacré les cheveux ! Idiote ! Idiote ! Je comprends, maintenant, ce que Lucy a ressenti quand elle est ressortie de chez le coiffeur avec sa coupe ratée, le mois dernier. Qu'est-ce qui m'a pris ? Impossible de me montrer avec cette touffe ridicule sur la tête. Et il va falloir attendre des semaines avant que ça repousse ! C'est la faute de Marc. S'il avait téléphoné, ce ne serait pas arrivé. Ma vie est fichue ! Déjà que je pouvais à peine marcher, avec ces maudits exercices de gym. Voilà maintenant que j'ai l'air d'une folle. À cause d'un garçon !

Et, en plus, j'ai un ÉNORME bouton qui est en train de pousser. Oh, non ! NON ! Pas sur le bout du nez !

— Lizzie ? Lizzie, ça va ? demande Maman, de

l'autre côté de la porte. Voilà des heures que tu es enfermée là-dedans.

Elle va bien finir par le voir, tôt ou tard. Autant affronter l'orage tout de suite. Je n'ai pas le choix. J'ouvre la porte et j'attends le savon. Je m'en fiche. J'ai déjà touché le fond : je ne sens plus rien, alors. Oh, je suis tellement nulle, mais tellement nulle ! Il y a des moments, je me déteste.

— Lizzie ! s'écrie Maman. Mais qu'est-ce que tu as fait ?

Cette fois, je ne peux pas m'empêcher de pleurer. Je hoquette :

— Je me suis... juste... défigurée. Je... ne pourrai plus... jamais mettre le nez dehors... Et, en plus, j'ai... un bouton dessus !

Elle me repousse avec douceur dans la salle de bains, me fait asseoir sur le bord de la baignoire et m'examine de plus près.

— Tu t'es laissée emporter par ton élan, hein ?

J'acquiesce dans un sanglot.

— Tu ne me disputes pas ?

Maman secoue la tête.

— Et si j'essayais de réparer les dommages ?

— Non. Ch'préfère pas.

Elle prend quelques longues mèches qu'elle ramène sur le devant.

— Je crois que je pourrais, pourtant... Tu me laisses tenter ma chance ?

Maman me coupait toujours les cheveux, quand j'étais petite. Ma grand-mère était coiffeuse, auprès d'elle Maman a assimilé les bases du métier. Je peux lui faire confiance.

Je hoche la tête mollement et lui montre la photo de Dorothy Parker.

— J'ai voulu me couper une frange, comme elle.

— Dorothy Parker ! Je croyais que les filles de ton âge voulaient toutes ressembler à cette actrice qui joue dans *Friends*. Comment s'appelle-t-elle, déjà ?

— Jennifer Aniston.

— Sauf ma Lizzie, poursuit Maman avec un petit sourire attendri. Il faut toujours qu'elle se singularise.

— Est-ce que tu m'offriras une perruque pour Noël, si ça ne marche pas ?

— Bien sûr ! s'esclaffe-t-elle. Mais je ne pense pas que nous en arriverons à cette extrémité ! Allez. Mouille-toi un peu les cheveux. Ils seront plus faciles à couper.

J'obéis.

Clac, clac, clac... Je vois avec horreur de longues mèches tomber sur le carrelage.

— Tu vois, c'est déjà mieux, me réconforte Maman. Je vais désépaissir un peu et ce sera parfait.

J'ai la gorge tellement nouée que je suis incapable de répondre.

Elle termine sa coupe, me peigne, puis m'entraîne dans sa chambre. Elle prend alors son séchoir à cheveux. Son ouvrage achevé, elle s'éloigne et admire le résultat.

Je murmure d'une voix hésitante :

— Je peux regarder, maintenant ?

Elle hoche la tête et s'écarte pour me laisser passer. Je me plante devant son miroir en pied. Et là, le choc. Ma nouvelle coupe est hypra-cool. Juste au-dessous des épaules, avec la frange qui souligne mes yeux verts. Et quand je les rejette en arrière, mes cheveux retombent en un beau volume bien net. C'est plus... affirmé, plus... moi !

— Pas mal, n'est-ce pas ? se félicite Maman avec un petit air satisfait.

Je lui saute au cou.

— Oh, Maman, tu es géniale !

Maintenant, Marc n'a plus qu'à téléphoner. Je ne peux que lui plaire davantage, avec ma nouvelle coupe.

Je ne sais pas ce qu'ont les filles, aujourd'hui. On dirait qu'elles ont la tête ailleurs. Tasha n'aurait même pas remarqué ma coiffure si Lucy ne m'avait pas complimentée.

À la pause de midi, elle réussit à me coincer dans le couloir.

— Lizzie, je sais que j'aurais mieux fait de tenir ma langue, l'autre jour, et je voudrais qu'on tire les choses au clair. Mais il faut surtout qu'on parle de Lucy et Tony. J'ai...

Elle s'interrompt brusquement en voyant arriver Lucy.

À peine Tasha part-elle se chercher un café au distrib', dans le hall, que Lucy se met à chuchoter :

— Lizzie, il faut que je te parle.

— À propos de Tony ?

— Oui. Non. Enfin, pas seulement. À propos de toi, aussi. Je t'ai à peine vue, ces derniers jours, et même si avec To...

Elle se tait d'un coup en voyant Tasha revenir.

— Qu'est-ce qui se passe ? demande Tasha, en nous dévisageant d'un air soupçonneux.

Là, je me referme comme une huître. Franchement ! j'hallucine. C'est moi qui suis censée dérailler et ce sont elles qui perdent les pédales. La seule certitude qui me reste, c'est que Marc n'a toujours pas appelé et que je ne sais plus sur quel pied danser. Que du bonheur !

En rentrant en cours, j'ai bien vu que Lucy avait l'air malheureuse. J'espère que ce n'est pas ma faute. C'est vrai qu'avec mes histoires d'amour je l'ai un peu laissée tomber, ces derniers temps... Oh, mais qu'est-ce qui m'arrive ? J'ai l'impression que tout s'écroule autour de moi. Quel gâchis !

Vendredi soir : enfin le week-end ! Juste au moment où je franchis la porte, mon portable sonne enfin.

Pourvu que ce soit Marc ! Pourvu que ce soit Marc ! Je fouille dans mon sac comme une fumeuse en manque de nicotine.

C'est Lucy.

— Lizzie, c'est moi. Tu fais la tête à Tasha, d'accord. Mais pourquoi tu ne me parles plus, à moi ?

— Je te parle, Lucy. Qu'est-ce que je suis en train de faire, à ton avis ? Et je ne fais pas la tête à Tasha. J'ai juste besoin de rester seule, en ce moment.

— Tu me manques, se plaint-elle. Est-ce que Marc a téléphoné ?

— Non, pas encore. Et ça m'est égal.

— Peut-être que Mercure est encore en rétrogradation ?

— Nan. J'ai vérifié. C'était censé être une bonne semaine pour moi, d'après mon horoscope. Et les prévisions que j'ai sorties pour aujourd'hui m'annoncent même un signe de quelqu'un dont j'attends des nouvelles.

— C'est moaaaa ! Moi : ta meilleure amie. Tu te rappelles ?

— Mouais.

— Je suis carrément hyper-méga-désolée qu'il ne t'ait pas appelée, Lizzie. Mais je crois que ça commence à te taper sur le système.

— Pas du tout. Je prends ça très bien. Je suis super-zen.

— Donc tu peux venir à la maison. On va se faire plein de séries débiles et regarder *Friends*.

— Ch'peux pas. Je dois me coucher de bonne heure, ce soir.

Gros soupir à l'autre bout du fil.

— O.K. Je vais appeler Tasha pour voir si elle veut venir, alors.

Je me sens un peu coupable en raccrochant. J'espère que Lucy comprendra.

J'ai attendu toute la nuit. Mon téléphone est resté muet.

Samedi matin. Première chose en me levant : je consulte mon horoscope. « Excellente journée pour les confrontations », annonce-t-il. Parfait. Je vais à Camden pour voir si Marc y est. Et j'ai bien l'intention de vider mon sac, cette fois. Je veux lui demander pourquoi il ne m'a pas téléphoné et si c'était vraiment lui qui m'appelait la semaine dernière, quand on s'est rencontrés dans le parc.

Malheureusement, Langue-Trop-Bien-Pendue a la mauvaise idée de me passer un coup de fil juste au moment où je m'apprête à partir.

— Je suis désolée pour lundi, me dit-elle. Je ne supporte pas quand tu me fais la tête. Viens à Hampstead. On a super envie de te voir, Lucy et moi. On pense que tu as besoin de faire un break avec cette histoire de Marc. Il faut que tu te changes les idées cinq minutes.

— Ch'peux pas. Chuis occupée.

Silence radio.

— J'espère que tu n'as pas l'intention d'aller à Camden ?

— Non. Et pourquoi pas, d'ailleurs ?

— Parce que c'est la DER-NIÈRE CHOSE À FAIRE. Tu sais pourtant bien que les garçons détestent qu'on leur coure après : ils trouvent ça lourd. Crois-moi, Liz. Ce n'est vraiment pas une bonne idée d'aller à Camden. Tu as besoin de décompresser un peu avant de le revoir.

— O.K.

— O.K. ?

— O.K.

Et je raccroche. Si elle s'imagine que je vais l'écouter ! Espèce de rabat-joie, va !

Pendant tout le trajet jusqu'à Camden, je prie pour que Marc travaille aujourd'hui. Je me repasse en boucle ce que je compte lui dire. Tasha m'a un peu déstabilisée avec son sermon. J'aimerais bien savoir où j'en suis avec Marc. On a passé un moment tellement génial ensemble, la semaine dernière ! Je n'ai tout de même pas rêvé !

En pénétrant sous le marché couvert, je sens les battements de mon cœur s'accélérer. J'ai chaud et, en même temps, je suis prise de frissons. Est-ce que c'est vraiment une bonne idée de venir ici ? Est-ce que je ne ferais pas mieux de rebrousser chemin, pendant qu'il en est encore temps ?

— Lizzie !

Marc ! Il est là, derrière son stand, et il me fait signe. Il m'a vue monter l'escalier.

Je déglutis et j'essaie de prendre un ton super-décontracté.

— Oh, salut ! C'est vrai que tu bosses ici. J'avais complètement oublié.

Il me regarde bizarrement.

— Ah oui ? répond-il, l'air dépité.

On reste là, face à face, sans parler. Je me sens hyper mal à l'aise et je vois bien qu'il n'en mène pas large non plus. Tous mes discours si bien préparés se sont envolés.

Je finis par bafouiller :

— Eh bien, euh... je ferais mieux d'y aller.

— C'est dommage. J'allais justement faire une petite pause. Tu ne peux vraiment pas rester cinq minutes ? On pourrait aller boire un café.

J'ai l'impression qu'on m'a versé de la colle dans la tête et que mes neurones sont englués. Plus rien ne semble en état de marche, là-haut. Je suis prise entre deux feux : j'y vais, j'y vais pas ? Peut-être que ce serait l'occasion de lui demander des explications ? Peut-être qu'il se justifiera ? Quoi qu'il en soit, il faut que je sache.

— D'accord.

On descend l'escalier côte à côte en silence. Marc

va nous chercher deux cappuccinos à l'une des buvettes du marché.

— Du sucre ? demande-t-il.

Je secoue la tête. Ce n'est peut-être pas le moment idéal pour lui dire que je ne bois plus de café. Il me prendrait sans doute pour une allumée.

On va s'installer au bord du canal. C'est super ! Quel pied ! J'avais oublié le bon goût du cappuccino, l'écume crémeuse, fondante... un régal ! Peut-être que je pourrais surveiller mon alimentation tout en m'accordant un petit extra, de temps en temps. Le truc, c'est de trouver le juste équilibre entre les deux. Tout est affaire d'équilibre.

— Euh... Marc...

— Oui ?

Il me sourit.

— Tu sais, quand tu m'as promis que tu m'appellerais...

— Ah oui ! Je voulais te dire, justement. Je me suis fait chourer mon portable. J'allais te passer un coup de fil, mais...

Tout s'explique, si on lui a volé son portable. Enfin, non... Non, pas vraiment. Les cabines, ça existe. Et puis, ses parents doivent bien avoir un téléphone fixe. Et il peut toujours emprunter le mobile d'un copain. Oh, et puis zut ! Je me jette à l'eau. Je ne veux pas passer une autre semaine de cauchemar à me demander s'il ne fait que jouer au chat et à la souris avec moi. Je n'ai rien à perdre, après tout.

— Tu sais, quand on s'est vus, samedi dernier...

Il acquiesce avec un grand sourire et pose sa main sur la mienne.

— Hallucinant, hein ? Cette... « synchronicité », comme tu disais.

Un agréable fourmillement me remonte le long du bras. Je me creuse la tête pour savoir comment je vais bien pouvoir lui poser la question sans paraître trop soupçonneuse.

— C'est ton père qui a répondu ? demande Marc, interrompant mes réflexions.

— Mon père ?

— Quand je t'ai téléphoné.

Je nage complètement.

— Qu'est-ce que tu veux dire ?

— Quand je t'ai vue, tu te souviens ? Je t'appelais et je t'ai trouvée juste en face de moi, en même temps.

— Oui. Et j'allais décrocher.

— Je ne t'appelais pas sur ton portable. Il y avait deux numéros sur ta carte. J'ai fait le premier et un type m'a répondu.

Quoi ! Alors, il a appelé à la maison. Et c'est Angus qui a répondu !

— Tu ne m'as pas appelée sur mon portable ? Tu as appelé chez moi ?

— Oui. C'était ton père ? Il a l'air vachement snob.

— Non. C'est sans doute le locataire.

— En tout cas, tu étais bien là, en face de moi (il repart à l'attaque et me caresse les doigts). Et tu es là, maintenant. C'est la seule chose qui compte.

Tout à coup, le petit nuage rose fait sa réapparition. Tasha avait raison : c'est bien elle qui m'a appelée sur mon portable et c'est vrai que personne n'a répondu. Mais il m'a bel et bien téléphoné ! Hourra ! Tout est bien qui finit bien.

J'ai à peine refermé la porte d'entrée que je déboule dans la cuisine. Angus est assis à table, en train de siroter un thé avec Maman.

— Bonjour, Lizzie ! s'écrient-ils en chœur.

Je fusille Angus du regard.

— Pourquoi tu ne m'as pas dit qu'on m'avait appelée, samedi ?

— Comment ? Quand ? De quoi parles-tu ? bredouille-t-il, abasourdi.

— Tu ne t'en souviens même pas ? C'était hyper-important.

— Quel jour ? demande-t-il en se grattant la tête.

— Samedi dernier.

Il faut que je sache si Marc m'a menti ou non.

— Je ne sais pas. Quelqu'un aurait-il laissé un message que j'aurais oublié de te transmettre ? Laisse-moi réfléchir...

— Il n'y a peut-être pas eu de message. Une voix masculine. Jeune.

Maman et Angus échangent un regard entendu.

— Ah oui ! Il me semble bien que le téléphone a sonné, à un moment. Mais il n'y avait personne au bout du fil. J'ai cru que c'était une erreur.

Ma voix déraille dans les aigus.

— Tu aurais dû m'en parler !

Je vais le tuer, je vais le tuer !

— Lizzie, pas sur ce ton, me reprend Maman. Comment Angus aurait-il pu deviner que ce n'était pas un faux numéro ? À plus forte raison s'il n'y avait personne au bout du fil, voyons. Il n'est pas médium !

Mes yeux s'embuent de larmes.

— Évidemment tu le défends ?

Je me tourne de nouveau vers Angus.

— Tu as failli tout gâcher !

— Assieds-toi et mange quelque chose avec nous, me propose doucement Maman. Et explique-nous ce qui te met dans cet état.

— Non ! De toute façon, il n'y a jamais rien à manger pour moi, dans cette baraque ! Je compte pour du beurre. Personne ne se préoccupe de mes goûts. Personne ne m'aaaaiiiime...

Je m'étouffe dans mes sanglots.

— Je commence vraiment à me lasser de ton attitude et de ton égoïsme, Elizabeth. Monte dans ta chambre. Et ne redescends que lorsque tu seras prête à nous présenter des exc...

Elle n'a pas fini sa phrase que j'ai déjà claqué la porte. « Monte dans ta chambre » : tous les jours le même refrain. Quoi que je fasse, c'est forcément mal. Les mères ! Tiens, je préfère ne pas y penser !

MAMAN BLUES
par Lizzie Foster

Hé, m'man, je voudrais te dire un truc important.
Alors, assieds-toi là, écoute-moi calmement.
Non, je t'en prie, ne pars pas, attends !

Les choses ont bien changé, tu sais, en vingt ans.
On te met la pression, que tu le veuilles ou non.
Le monde bouge plus vite. C'est comme ça, t'as pas l'choix.
Il faut suivre le mouvement : tu cours ou bien tu tombes.
Et le rythme s'accélère. C'est parti pour l'enfer !
Mais c'est trop dur, parfois. J'n'ai plus ma tête à moi.
Alors, quand je rentre le soir, si j'râle ou j'broie du noir,
Ne me demande rien. Ne cherche pas à comprendre.
Laisse-moi tourner en rond, toute seule, dans ma chambre.

Lundi, p'tite fille modèle. Mardi, ado rebelle.
Et toi, un jour, tout miel et, le lendemain, poison.
Haine-amour, amour-haine. Tantôt rose, tantôt noir.
Il n'y a qu'une seule chose à savoir :
Il n'est jamais trop tard pour oublier nos querelles.
Il n'est jamais trop tard pour demander pardon.

Ne m'en veux pas trop, je sais que c'est le tien.
Mais ce mec-là, tu vois, moi, je ne lui dois rien.
Il n'remplace pas mon père. Qui dira le contraire ?
Blâme ma bêtise, ma jeunesse, mon sale caractère.
Tu exiges que je dise toujours la vérité ?
Ne te plains pas après, si c'est ce que je fais.
Moi aussi, j'ai des torts et je comprends ta peine.
Ce que toi, tu ignores, c'est que je cache la mienne.
Lundi, p'tite fille modèle. Mardi, ado rebelle.

Et toi, un jour, tout miel et, le lendemain, poison.
Haine-amour, amour-haine. Tantôt rose, tantôt noir.
L'essentiel, c'est qu'il n'y a qu'une seule chose à savoir :
Il n'est jamais trop tard pour oublier nos querelles.
Il n'est jamais trop tard pour demander pardon.

JE VAIS CRAQUER !

Je ne le crois pas !

C'est seulement après l'avoir quitté, samedi dernier, que je m'en suis rendu compte. Je me l'étais promis, pourtant. Eh bien, non. J'ai encore oublié de demander à Marc son numéro de téléphone ! Je lui ai juste conseillé de ne pas appeler à la maison parce que ma mère et le locataire sont nuls pour transmettre les messages. Il m'a répondu qu'il m'appellerait sur mon portable. Parfait.

Du moins, c'est ce que j'ai pensé sur le moment...

Lundi, j'ai consulté mon horoscope de la semaine : démarrage tout en douceur, mais les choses vont se corser aux alentours de jeudi, quand Pluton formera un carré avec Mars, « provoquant quelques perturbations ».

« Quelques perturbations » ! Ah ! C'est peu de le dire !

Jeudi soir, Maman m'emmène chez Lucy pour mon cours de guitare et s'installe dans la cuisine avec un magazine, pendant que je rejoins M. Lovering dans le salon.

Je viens à peine de commencer mes exercices que mon portable sonne.

— Coupe-le pendant la leçon, ordonne M. Lovering.

— Est-ce que je peux répondre ? Juste cette fois, s'il vous plaît ?

C'est peut-être Marc, et je ne veux pas rater son coup de fil.

— D'accord. Mais après, tu éteins cet appareil.

— Lizzie, c'est moi, croasse la voix enrouée de Tasha. Il faut que je te parle.

— Ch'peux pas. Chuis en plein cours de guitare. On se reparle plus tard.

Et je raccroche.

Je me sens un peu coupable vis-à-vis de Tasha. Elle n'est pas venue au lycée de la semaine à cause d'une grippe et je ne l'ai même pas appelée pour prendre de ses nouvelles. Je sais qu'elle n'a pas voulu me faire de la peine, à propos de Marc, et je lui dois des excuses. Mais je veux pouvoir choisir mon moment. Pas devant M. Lovering, en tout cas.

Je mets mon portable en mode vibreur et je le pose sur la table, bien en vue.

— Tu le coupes, insiste M. Lovering. Tu le coupes pendant la leçon.

— Ooooh ! Je dois vraiment ?

— Oui. Je sais comment vous êtes avec vos portables, les filles : vous restez des heures pendues au téléphone. J'ai un autre élève, juste après toi, et je ne peux pas me permettre de perdre du temps à cause de tes bavardages.

Je vois bien qu'il n'est pas d'humeur à plaisanter et j'obéis. Bon, ben, il ne me reste plus qu'à me concentrer sur mes gammes, maintenant...

— Tu fais des progrès, me félicite M. Lovering, à la fin de l'heure. As-tu pensé à m'apporter quelques-unes de tes chansons ? J'y jetterai un coup d'œil et nous essaierons ensemble de les mettre en musique la prochaine fois.

— Euh... oui. Hum, enfin, non.

— Lizzie, les as-tu apportées, oui ou non ?

Je les ai dans mon sac, mais je n'ai pas envie de les lui montrer. Ni à lui, ni à personne d'autre. Surtout depuis ce cours où je me suis carrément ridiculisée devant les filles de la classe.

— Je... je préférerais ne pas vous laisser le cahier.

— Ah ! Une chanteuse qui veut garder ses chansons pour elle !

— J'en ai lu une en cours – enfin, le début –, et tout le monde était plié.

De moqueur, le regard de M. Lovering devient compatissant.

— C'est difficile, Lizzie, quand tu t'investis dans quelque chose d'artistique. Il y aura toujours des gens qui aimeront et d'autres qui détesteront. Ce n'est pas dirigé contre toi, en tant que personne. C'est ce que tu fais qui est visé, pas ce que tu es. De toute façon, si tu veux réussir – et je suis sûr que tu y parviendras –, il faut te préparer à accepter les critiques. N'aie pas peur de sortir de ta coquille. Il faut savoir prendre des risques. Contente-toi de bien choisir les gens auxquels tu présentes ton travail. Les critiques ne sont jamais inutiles et certaines sont riches d'enseignements, si tu sais en tirer profit.

— Eh bien... euh... vous ne voudriez pas les lire quand je serai partie ? Comme ça, je n'aurai pas à voir votre tête, si vous ne les aimez pas.

M. Lovering rigole doucement.

— Bien sûr. Pose-les sur le piano. Tu n'as aucune raison d'avoir peur : je suis certain que je vais les trouver très bien.

— Bon, d'accord. Promettez-moi juste de ne les montrer à personne. Ni à Lal, ni à Steve, ni même à Lucy. Je ne les ai jamais fait lire, vous comprenez ? Vous me le jurez, hein ?

— Promis-juré.

Qu'est-ce que je vois, en arrivant dans la cuisine ? Maman en grande conversation avec un garçon. En nous entendant, elle tourne la tête dans notre direction.

— Hum... excusez-moi, monsieur Lovering, dit-elle de sa voix posée. Pourrais-je vous parler un instant, s'il vous plaît ?

— Certainement, répond-il en souriant.

— En privé, précise-t-elle.

Il hoche la tête et la conduit dans le salon. Qu'est-ce que c'est que ces cachotteries, encore ?

Je me retourne vers le garçon. J'ai l'impression de l'avoir déjà vu quelque part.

— Hé ! On ne se connaîtrait pas, par hasard ?

— Le mariage de ta sœur, réplique-t-il, un grand sourire aux lèvres. Ben, ajoute-t-il en inclinant un peu la tête.

Je le reprends de volée, piquée au vif :

— Ce n'est pas ma sœur. C'est la fille de mon beau-père.

Rien à voir avec le look qu'il avait au mariage. Presque mignon. S'il n'était pas en uniforme... C'est le même que celui des frères de Lucy, d'ailleurs. Il doit être dans leur lycée. Autant lui poser directement la question. Ça meublera.

— Tu vas au même lycée que Lal et Steve, non ?

— Oui. C'est comme ça que j'ai entendu parler des leçons de M. Lovering.

Et maintenant, je lui raconte quoi ? Hum...

— Où sont-ils tous passés ? Lucy, Steve, Lal ?

— Partis au vidéoclub, je crois.

Re-silence.

— Alors, c'est toi le prochain élève ?

— Oui.

Pouh ! Il n'est pas bavard, le frangin de Jeremy ! Remarque, si c'est pour débiter autant de débilités à la minute que son frère, ce n'est pas plus mal.

Ouf, voilà Maman ! Pas trop tôt !

— Tu es prête ?

J'acquiesce avec enthousiasme. Pour une fois qu'elle me sauve la mise !

— Qui était ce garçon, chez les Lovering ? questionne-t-elle dans la voiture.

— Personne. Il était au mariage. C'est lui qui jouait ces trucs ringards au piano.

— Bien sûr ! C'est le frère cadet de Jeremy. Il est plutôt doué pour la musique, apparemment.

— Oh, Maman ! Les trucs qu'il jouait étaient nuls. C'est à se demander pourquoi il prend des cours. Il ne sait même pas faire la différence entre de la soupe et de la bonne musique.

— Et de quoi discutiez-vous ?

— Oh, de rien ! Et toi, de quoi as-tu parlé avec M. Lovering ?

Maman me lance un coup d'œil en coin, genre sale gamine qui vient de jouer un mauvais tour.

— Oh, de rien ! répond-elle sur le même ton que moi.

Je la regarde et on éclate de rire toutes les deux.

C'est en arrivant à la maison que je m'en aperçois : j'ai oublié mon portable chez Lucy. Et il était éteint !

J'essaie de contrôler ma panique, mais ma voix déraille quand je lance à Maman :

— Il faut absolument que je retourne chez Lucy. J'ai oublié mon portable.

— Tu peux bien vivre sans jusqu'à demain, rétorque-t-elle avec un calme olympien. Appelle Lucy et demande-lui de te le rapporter au lycée.

Je me rue sur le fixe pour téléphoner à Lucy. C'est à ce moment là que je vois le répondeur qui clignote : deux messages. J'appuie sur le bouton LECTURE.

« Salut, c'est Marc, dit le premier message. J'ai essayé de t'appeler sur ton portable, mais il est coupé. Alors j'ai pensé que je pouvais toujours essayer chez toi. Comme tu n'es pas là non plus, je vais réessayer ton numéro de portable plus tard. »

— Oh non !

Après le bip, il y a un message d'Angus. Zut ! Impossible d'utiliser la fonction « identification du dernier numéro » pour rappeler Marc.

Je téléphone aussitôt à Lucy pour qu'elle regarde si j'ai des messages sur mon portable.

Deux secondes après, elle m'annonce que j'en ai

juste un de Tasha qu'elle a laissé il y a moins de cinq minutes.

— Oh non ! Marc disait qu'il essaierait de me joindre sur mon portable. Je ne peux pas le vérifier puisque c'est le numéro de Tasha qui sera enregistré en dernier !

Cette fois, je vais craquer.

— Lucy ? Lucy, tu m'écoutes ?

— Han-han.

— Tu me promets de répondre s'il sonne, hein ? Oh ! Au fait, je l'ai mis sur vibreur. Tu le remets sur sonnerie ?

— Pas de problème, affirme-t-elle. Mais si je comprends bien, tu n'as toujours pas rappelé Tasha ?

— Non, pas encore. Pourquoi ?

— Elle veut absolument te parler.

Oh ! là là ! Elle doit m'en vouloir à mort. Je ferais mieux de la rappeler *illico* pour me réconcilier avec elle. D'abord, priorité des priorités : récupérer mon portable.

Je m'arme de courage et je vais voir Maman dans le salon. Elle est installée sur le canapé, devant la télé, un verre à la main.

— Maman, s'il te plaît, tu ne voudrais pas me reconduire chez Lucy pour que j'aille chercher mon portable ?

— Lizzie ! Il est plus de huit heures.

— Ça ne prendra que vingt minutes.

Elle soupire (mauvais signe).

— J'ai eu une longue journée de travail ; je t'ai emmenée chez Lucy pour ta leçon de guitare ; je t'ai attendue et je t'ai ramenée. Je ne retourne pas là-bas. Nous avons le téléphone, ici, que je sache.

— Eh bien, j'y vais en bus, alors.

— Non. Tu ne sors pas toute seule à cette heure-ci.

— Bon. Alors, je prends un taxi.

— Lizzie. Regarde-moi bien. Non. N-O-N. Non. Qui était ce garçon, sur le répondeur, au fait ?

— Personne.

— Et que voulait-il ?

— Rien.

Cette fois, ça ne nous fait rire ni l'une ni l'autre.

Vendredi. Le temps se gâte et, au lycée, pendant la pause, il tourne carrément à l'orage.

Que Maman soit en colère contre moi – ce n'est pas nouveau. Mais voilà que Lucy s'y met aussi.

— As-tu appelé Tasha ? demande-t-elle en me rendant mon portable.

— Non, pas encore. J'allais le faire, seulement...

— Seulement quoi ? m'interrompt-elle d'un ton cassant. Elle t'a téléphoné combien de fois déjà ? Et elle est malade, en plus. Quelle excuse tu vas inventer ? Mercure a encore décidé de faire machine arrière ? Et ça t'a paralysé la main pour t'empêcher de faire son numéro, peut-être ?

Je n'en reviens pas. Je n'ai jamais vu Lucy dans cet état. Pas du tout son genre, d'agresser les gens. Et puis, elle est toute raide, toute droite... Ma parole ! Elle est folle de rage !

— Je vais l'appeler. C'est juste que j'ai été débordée, cette semaine. D'ailleurs, pour ton info c'est Pluton qui me joue des tours, en ce moment. Il transite dans une maison hyper-importante de mon thème et...

— C'est ça, vas-y, raconte ! coupe-t-elle d'un ton

sec. Et pas seulement Pluton. Tout, Lizzie, tout. Tu es... « débordée », en ce moment. Il t'arrive tant de trucs et tout est si grave. Ah, les astres ne sont pas avec toi ! Tout est leur faute, hein ? Eh bien, je vais te dire une bonne chose, moi : j'en ai marre de t'entendre accuser le ciel à chaque instant. Tu sais quoi ? Tu deviens pénible à force. Et en plus, tu laisses tomber tes amies. C'est à peine si on existe encore, Tasha et moi. Tu n'es pas la seule à qui il arrive des trucs, Lizzie. Depuis des semaines, il n'y en a plus que pour toi. Et pour Marc...

Elle se tait brusquement et me tourne le dos. Je me plante devant elle. Oh non ! Elle a les yeux étincelants de larmes.

Je pose la main sur son bras.

— Ne pleure pas, Lucy, je t'en prie. Tu as raison. Je suis désolée. Je n'ai pas dû être marrante, hein ?

— « Pas marrante » ? Une vraie plaie, oui !

— Écoute, je téléphonerai à Tasha tout à l'heure. Et je ferai tout pour que tu me pardonnes. Je te le jure, Lucy. Lucy ? On est toujours copines, hein ? Hein ? Oh, dis-moi oui, Lucyyyyyy !

Elle pousse un soupir à fendre l'âme.

— Bien sûr qu'on est toujours copines, marmonne-t-elle en haussant les épaules. Mais décompresse un peu, tu veux. Zen, O.K. ?

Au même moment, la sonnerie nous rappelle à l'ordre.

Tout en fourrant mon portable dans mon sac, je lui promets de téléphoner à Tasha à l'heure du déjeuner.

— Je l'appelle. Juré, Lucy.

— Tu as intérêt, répond-elle en me bourrant le bras de coups de poing.

Elle a retrouvé le sourire. C'est déjà ça.

De retour à la maison, je réfléchis à ce que Lucy m'a dit. Elle a raison. Je n'ai pas cessé de tourner en rond, ces trois dernières semaines. En fait, j'ai fini par me perdre en route. Et puis je commence à en avoir assez de passer mon temps enfermée dans ma chambre, à attendre que le téléphone sonne. J'ai tout essayé pour m'occuper : j'ai coordonné ma garde-robe par couleur ; j'ai rangé mes livres et mes C.D. ; fait tous mes devoirs avec des semaines d'avance ; pris des bains relaxants, tonifiants ; testé des gommages, des masques ; écrit mes cartes de vœux... Stop ! Il faut arrêter ce cirque ! Et puis j'ai l'air de quoi, à jouer les nonnes qui attendent le retour du Messie ? Trop nul ! Il faut que je me reprenne. En plus, j'ai laissé tomber mes meilleures copines : leur amitié me manque.

Quand Lucy m'appelle pour me demander si je ne voudrais pas venir chez Tasha, je n'hésite même pas une seconde :

— Je te retrouve là-bas à sept heures.

Je dévale l'escalier, je prends ma veste et je file.

— Je ne suis plus contagieuse, vous savez, nous annonce Tasha en nous voyant, Lucy et moi, nous installer aussi loin d'elle que possible. Maman m'a même dit que je pourrais sortir demain.

— Hourra ! s'exclame Lucy en riant, qui va s'asseoir en tailleur sur le tapis, au pied du canapé sur lequel Tasha est allongée.

Celle-ci joue la reine de Saba sous son énorme édredon de satin pourpre, avec, en guise de sceptre, sa bouteille de sirop et, autour d'elle, des tonnes de boîtes de mouchoirs en papier.

Comme promis, j'ai appelé Tasha à l'heure du déjeuner et, avant qu'elle ait eu le temps d'ouvrir la bouche, je lui ai demandé de me pardonner d'avoir été aussi nulle avec elle.

On est restées une heure au téléphone. Et je n'ai même pas pensé une seconde que Marc pourrait essayer de me joindre. Elle a vraiment été adorable. Elle m'a dit que je comptais beaucoup pour elle et que rien ne pourrait jamais remplacer mon amitié. J'ai senti à quel point on était proches, toutes les deux.

J'ai décidé de jouer cartes sur table. Alors j'attaque franco :

— Comment tu fais, toi, Lucy, quand Tony ne t'appelle pas ?

— Impossible, affirme Tasha. Je lui prends la tête jusqu'à ce qu'il le fasse. Je lui ai fait comprendre dès le début qu'il n'avait pas intérêt à la faire tourner en bourrique, sinon il aurait affaire à moi. Il a trop peur pour prendre le risque.

Lucy et moi échangeons un regard entendu. Nous aussi, on sait ce que ça donne quand Tasha fait sa Scary Spice : une vraie furie. On ne discute pas, dans ces cas-là !

Je rejoins Lucy sur le tapis pour leur annoncer ma décision :

— De toute façon, j'en ai marre des garçons. Trop de problèmes. De vraies montagnes russes : un jour, c'est le nirvana ; le lendemain, c'est l'enfer.

Je n'en peux plus. Terminé. Avant de rencontrer Marc, j'allais bien. Et depuis, tout va de travers. C'est vrai, je sens bien que je perds les pédales.

— Est-ce qu'il t'a appelée, ce soir ? me demande Lucy.

— À ton avis ?

— Peut-être...

— Nan ! Et j'en ai ras le bol. RAS LE BOL ! Je ne sais pas à quoi il joue, mais je ne joue pas à ce jeu-là. D'abord, il prétend qu'il a eu une semaine de dingue. Samedi dernier, c'était son portable qu'on lui avait piqué, et... qu'est-ce qu'il y a ?

J'ai vu Tasha grimacer. Et la voilà qui baisse la tête, sans répondre.

— Hé, qu'est-ce qui se passe ?

— Rien, rien, murmure-t-elle, les yeux rivés à son flacon de sirop.

Je vois bien qu'elle ne veut pas parler. Et à son air « c'est par où la sortie ? », Lucy sait de quoi il retourne.

— Allez, Tasha ! Vas-y !

— Non, non, ce n'est rien, s'obstine-t-elle en secouant la tête.

Le silence s'abat sur nous, comme Mme Allen sur le dos d'une fille qui fume dans les toilettes.

— Tasha, je suis sûre que tu sais quelque chose. Si tu ne me racontes rien, je vais encore imaginer le pire.

— Genre ?

— Euh... genre que tu sors avec Marc depuis le premier jour.

Elle glousse.

— Non. Ce n'est pas si dramatique que ça. Et puis, tu sais bien que je ne te ferais jamais un plan pareil.

— Alors quoi ?

Elle s'agite sous son édredon.

— Eh bien... Tu promets que tu ne vas pas me refaire la tête, hein ?

Promis.

— Eh bien, samedi dernier... Tu te souviens ? Quand tu n'as pas voulu venir avec nous à l'Hollywood Bowl ?

— Oui.

— Eh bien, Marc y était.

— Non !

— Si. Avec une bande de copains.

— Bon. Eh bien, si ce n'est que ça, ce n'est pas si grave. Ce n'est pas comme si j'avais eu rendez-vous avec lui.

— Ce n'est pas tout.

— Ah ?

— Non. Il prenait la pose et frimait... avec son portable.

— Oh, le faux jeton ! Pourquoi ne m'a-t-il pas avoué tout simplement qu'il avait oublié de m'appeler ? Pourquoi a-t-il raconté cette stupide histoire de téléphone volé ?

— C'est la façon dont les garçons réagissent toujours quand tu les mets au pied du mur, m'explique Lucy. Crois-moi, je suis bien placée pour le savoir, avec les deux crétins qui me servent de frangins. Plutôt que de dire la vérité, ils vont inventer n'importe quel bobard débile pour ne pas perdre la face.

— Oui, eh bien, ça règle le problème, cette fois :

les garçons, c'est terminé ! Craquants, sublimes, ringards... tous dans le même sac. Pour moi, c'est FI-NI.

— Jusqu'au prochain ! chantonne Tasha en riant.

— Non, non. Je suis hyper-sérieuse, les filles. Les garçons, c'est très mauvais pour la santé mentale. Ça met la tête à l'envers.

— Ils ne sont quand même pas tous à jeter, dit Tasha pour me calmer. Certains ne sont pas si mauvais. Mais les copines, c'est nettement mieux. Aucun doute là-dessus. Et même un canon de chez canon ne vaut pas la peine qu'on perde ses amies pour lui, c'est clair.

— Cent pour cent d'accord avec toi. Les garçons, ça va, ça vient. Alors que nous, on sera toujours copines et on sera toujours là pour se soutenir, quoi qu'il arrive. Allez ! Faisons un pacte : jurons qu'aucun garçon ne pourra plus jamais nous séparer.

— Absolument ! s'enthousiasme Tasha. Et qu'on ne se cachera jamais la vérité – même si on sait qu'il n'y a que la vérité qui blesse...

— C'est ça ! s'enflamme aussitôt Lucy. Faisons un pacte. Si on ne peut pas faire confiance aux amies, ma brave dame, alors à qui se fier, je vous le demande ?

Je me sens trop contente, tout à coup, et plus heureuse que je ne l'ai été depuis des semaines. Enfin revenue à la raison ! Ça fait du bien de retrouver les copines, d'avoir des rapports naturels et SIMPLES !

Je lève la main droite et je jure :

— Les garçons, plus jamais !

Lucy et Tasha n'ont pas l'air très convaincues.

— Pourquoi pas plutôt : « Amies pour toujours » ? demande Lucy.

— O.K.

Lucy et Tasha lèvent à leur tour la main droite et nous braillons en chœur :

— Amies pour toujours !

Quand je rentre, Maman m'appelle dans le salon. Elle est pelotonnée sur le canapé, un livre de recettes sur les genoux. Angus est assis au bureau, devant la baie vitrée. Il regarde un album de photos. Oh non ! Pas les clichés du mariage ! Faites que cette histoire ne revienne pas sur le tapis. Moi qui me croyais pardonnée !

Sans trop m'éloigner de la porte, au cas où l'orage éclaterait, je lance d'un air innocent :

— Tu voulais me voir, Maman ?

Puis je m'exclame aussitôt, pour noyer le poisson :

— Tiens, des recettes végétariennes !

— Oui, je cherchais quelques idées pour le réveillon de Noël, répond-elle. Tu ne vas tout de même pas nous regarder manger en mâchonnant deux carottes et trois haricots verts ! Que penses-tu d'un rôti végétarien ?

— Super !

Qu'est-ce qui se passe, là ? Elle n'a pas l'air furax, ni même le moins du monde énervée. Peut-être que ce ne sont pas les photos du mariage d'Amélia ?

— Tu veux te voir en demoiselle d'honneur, Lizzie ? propose Angus.

Aïe, aïe, aïe ! C'est encore pire que je ne l'imaginais : la colère sourde. Le truc sournois qui vous tombe dessus sans que vous l'ayez vu venir.

Je me dirige d'un pas hésitant vers le bureau et je risque un œil par-dessus l'épaule d'Angus.

— Ouah ! Elles sont géniales !

Angus se retourne et me sourit.

— Oui. Pas mal trouvé, hein, comme solution ?

Je pousse un soupir de soulagement.

— Ah oui ! Excellent, même !

Il a fait faire les tirages en noir et blanc. Du coup, sur les rares photos où j'apparais, j'ai l'air parfaitement normale. Pas étonnant que Maman soit assise sur son canapé, aussi zen qu'un yogi en pleine lévitation. Avec les photos en noir et blanc, personne ne peut deviner que son hurluberlu de fille s'était teint les cheveux en vert pour l'occasion.

— Oh ! Un jeune homme a téléphoné pour toi, m'annonce Maman, comme si elle venait de se rappeler avoir aperçu un vague article sur la pêche à la crevette, dans le fin fond de la Cornouailles, pour mon exposé de l'année dernière. Marc, si j'ai bien compris. Il a dit qu'il réessaierait plus tard.

— Oh NON ! C'est ce qui s'appelle avoir la poisse !

— « Oh non ! » ? s'étonne Maman. Je croyais que c'était lui la cause de cet ouragan qui fait trembler toute la maison depuis quelque temps.

Je fais la grimace.

— Eh bien, euh... oui. Sauf que je viens de décider de tirer un trait sur les garçons.

Maman et Angus éclatent de rire en chœur.

— Vraiment, Lizzie ! Tu sais que j'ai un peu de mal à te suivre, par moments ? plaisante Maman.

— Moi aussi, Maman, j'ai du mal à me suivre. D'ailleurs, je monte me coucher.

Dans l'escalier, il me vient une idée. Je me penche par-dessus la rampe et je demande :

— Maman, est-ce qu'il y a eu d'autres coups de fil, depuis ?

— Non, me répond-elle. Pas à ma connaissance.

Génial ! Je me précipite dans l'entrée pour vérifier le numéro du dernier appel.

Je le griffonne sur le bloc-notes, j'arrache la page et je file dans ma chambre. Enfin ! Maintenant, je peux appeler Marc quand je veux.

Mais, au fait... j'ai fait une croix sur les garçons, non ?

L'AMITIÉ, C'EST SACRÉ
par Lizzie Foster

Hé, dis ! Tu ne sais donc pas
qu'les garçons sont comme ça :
Un jour, je te vois ; un jour, j'te vois pas ?
Que l'amitié, c'est beaucoup plus fort ?
Qu'entre amies, c'est à la vie, à la mort ?
Qu'elles ne te laisseront jamais tomber ?
L'amitié, c'est sacré.

Les mecs sont trop bêtes et si prétentieux !
Ils sont les champions, tous te le chanteront.
T'imagines de quoi... Eux ne le disent pas.
Un à la douzaine, et ce n'est qu'une moyenne.
Je parle de cerveau, ils ignorent le mot.
Les garçons, plus jamais ! Les mecs, c'est terminé !

Ne perds pas ta jeunesse pour de fausses caresses.
Tu es trop brillante et bien trop jolie
Pour laisser un mec te gâcher la vie.
Nous, tu vois, on sait trop sur qui compter
Pour laisser un garçon nous séparer.
L'amitié, c'est sacré.

Les mecs sont trop bêtes et si prétentieux !
Ce sont des champions, tous te le chanteront.
Tu te demandes de quoi ? Ils ne le précisent pas.
Un à la douzaine, et ce n'est qu'une moyenne.
Je parle de cerveau, ils ignorent le mot.
Les garçons, plus jamais ! Les mecs, c'est terminé !

10

BAISERS COSMIQUES

— Ça y est ! J'ai un rendez-vous ! Un vrai rendez-vous ! Avec Marc !

J'étais à peine arrivée dans ma chambre, hier soir, que mon portable se mettait à sonner. J'ai répondu aussitôt. Et qui était au bout du fil ? Marc ! (Ce qui m'a épargné de passer des heures à me demander si je devais lui téléphoner ou pas. Ouf !)

Donc, ce matin, au saut du lit, je l'annonce à Lucy.

Et j'enchaîne aussitôt :

— Ne te fâche pas, hein ? Je vais faire un tour avec lui, cet après-midi.

— Bien sûr que non, je ne me fâche pas, pauvre nouille ! Je croyais que les garçons, c'était « terminé, fini, plus jamais » ?

— Je sais, je sais. Mais comme disait ma grand-mère, il n'y a que les imbêêêêciles qui ne changent pas d'avis !

En parlant de changer d'avis, j'ai dû changer trois cent mille fois de tenue, en vingt minutes ! Toute ma garde-robe y est passée. Et rien ne va. Je voudrais être au top, avoir un look dément, être irrésistible, quoi ! Je ne voudrais pas non plus avoir l'air de m'être donné trop de mal.

À midi, le contenu intégral de ma penderie et de ma commode est étalé sur le lit et sur la moquette. Il y en a partout ! Et je ne sais toujours pas quoi me mettre. Et je vois Marc dans une heure. Au secours !

— Prise d'une crise de rangement ? demande Maman en entrant dans ma chambre.

— Oh, Maman ! Tu pourrais frapper !

Elle lève les yeux au ciel.

— C'est bien la première fois que tu me fais ce genre de réflexion. Cela ne t'a jamais gênée jusqu'à présent, que je sache.

— Maintenant, si. J'ai quatorze ans, Maman !

— Bon. Tu n'as pas répondu à ma question, insiste-t-elle, préférant faire la sourde oreille. Qu'es-tu en train de faire ?

— J'essaie de m'habiller. Mais je n'ai rien à me mettre.

Elle hausse les sourcils et lorgne vers les tas de fringues empilées sur le sol et sur mon lit.

— « Rien à te mettre » ? raille-t-elle. Ce ne sont pourtant pas les vêtements qui te manquent. Et... pourrait-on savoir la cause de cette remise en question vestimentaire ? Une occasion particulière, peut-être ?

Je ne veux pas lui dire que je sors avec Marc, sinon elle va vouloir tout savoir. Je l'entends d'ici : « Et qui est ce jeune homme ? Quel établissement fréquente-t-il ? Que font ses parents ?... » Après, elle trouverait encore le moyen de l'inviter à la maison pour la revue de détail. Non, merci.

— Je vais à l'Hollywood Bowl.

Après tout, elle n'a pas besoin de savoir avec qui. Vu le petit sourire débile qu'elle affiche, quelque chose me dit qu'elle a deviné.

— Eh bien, dans ce cas, tu n'as qu'à enfiler un jean.

— Ça me fait un derrière d'hippopotame.

— Alors, mets une jupe.

... De quoi je me mê-leu !

Je bougonne en scrutant ostensiblement ma montre :

— Chais pas.

— D'accord, d'accord, soupire-t-elle en mère martyre. Je sais reconnaître quand je suis indésirable.

Et elle se dirige vers la porte. Au moment de sortir, elle se retourne et ajoute, en me faisant un clin d'œil :

— Amuse-toi bien !

Il y a des jours où je ne comprends rien aux parents.

Finalement, je me rabats sur mon pull noir, mon jean noir et mon manteau en PVC noir. Toute en noir : énigmatique et ténébreuse. C'est tout moi, ça !

Comme il a l'air de faire un froid de canard dehors, au dernier moment, je prends quand même mon écharpe et mes gants rouges. Et puis je remonte les marches quatre à quatre pour aller me mettre en cachette un soupçon de rouge à lèvres, un trait de khôl et un nuage de Chanel nº 19, subtilisé dans les affaires de toilette de Maman. Et hop ! En route pour de nouvelles aventures...

Marc m'attend devant le Café Orbital. J'ai bien fait de ne pas sortir ma panoplie de fashion-victime : il est en jean-tennis, et sous sa veste en cuir vieilli, il porte juste une polaire bleu marine basique. J'avance vers lui, genre hyper-cool, hyper-zen. Pourtant, mon cœur cogne dans ma poitrine et je commence à avoir des crampes d'estomac. Ouah ! Il est à tomber !

Il est à tomber et il m'attend.

Il est à tomber, il m'attend et il me fait signe.

Je lui réponds d'un petit geste de la main. J'ai du mal à respirer et j'ai la gorge méga-nouée.

— Salut ! Tu as l'air gelée. Viens ! décide-t-il en me prenant la main pour m'entraîner à l'intérieur. On va boire un café, ça nous réchauffera.

En me voyant franchir la porte avec lui, j'ai senti toutes les angoisses accumulées depuis des semaines s'envoler comme par enchantement.

Pendant qu'on se dirige vers le bar pour commander nos boissons et le temps qu'on trouve une table, je vois plusieurs filles le regarder avec insistance ou même carrément se retourner sur son passage.

Ah, ah ! Il est avec moi, les filles ! C'est à moi qu'il a donné rendez-vous ! Un rendez-vous en amoureux. Avec MOI !

Nous nous installons sur les banquettes d'un box à l'écart et passons les quelques heures qui suivent à parler de tout et de rien. J'apprends qu'il habite Primrose Hill, pas très loin de chez mon père, qu'il va en cours là-bas (top du top, son lycée fait partie des cinq établissements invités à notre soirée de fin de trimestre), qu'il a dix-sept ans, qu'il est né sous le signe de la Balance (un signe d'air, comme moi.

À signes compatibles, entente parfaite, non ?), que ses films préférés sont *Matrix*, *American Pie* et *Sixième Sens* (qui est aussi mon film favori), qu'il a un grand frère et une petite sœur, qu'il est bon en maths et en biologie, et qu'il veut faire médecine.

Nous venons de commander deux muffins à la myrtille (mon petit extra du week-end) et commençons à aborder le passionnant sujet de nos goûts en matière de desserts, quand une sonnerie de téléphone nous interrompt. Il plonge la main dans sa poche et sort son portable.

— Désolé, s'excuse-t-il après avoir raccroché. Un de mes potes que je dois voir tout à l'heure.

Je prends mon air le plus candide et je balance :

— Je croyais qu'on te l'avait piqué, ton portable...

Il s'agite sur sa banquette et je jurerais qu'il rougit.

— Ah oui ! Ça... Mon père m'en a filé un autre hier.

Sans commentaires...

Nous mangeons nos muffins en silence. Soudain, il lève les yeux vers moi et plonge son regard dans le mien, avec une sorte de petit sourire énigmatique sur les lèvres. Son regard descend alors vers ma bouche et je sens mon ventre qui fait des nœuds, trois tonnes de nœuds.

— On y va ? propose-t-il d'une voix sourde. Ça nous laissera le temps de marcher un peu avant de rentrer...

Et là, tout à coup, c'est la panique. C'est mon premier vrai rendez-vous et je balise comme une malade. Est-ce qu'il va m'embrasser ? Je n'ai embrassé que deux garçons dans ma vie. Et tous les deux comptent pour du beurre. Le premier, quand j'étais gamine, et une espèce de crétinoïde, l'année dernière, qui était atteint d'un syndrome aigu de mains baladeuses. L'horreur ! Il m'a même mis sa langue dans la bouche. Beurk ! Tout ce que j'avais en tête sur le moment, c'était « poisson flasque, poisson flasque » ! Baveux, visqueux. Beurk, beurk, beurk !

Cette fois, c'est pour de bon.

J'essaie de me souvenir de ce que le frère de Tasha nous a raconté sur l'art et la manière d'embrasser. Tony se prend pour un expert en la matière, genre « appelez-moi Maître » ! Un jour, avant qu'il ne sorte avec Lucy, il m'a même proposé une petite démonstration. Je lui ai ri au nez. Maintenant, je regrette de ne pas l'avoir pris au mot. J'aurais dû demander à Lucy ou à Tasha avant de partir. Je sais ! Je vais les appeler.

Je réponds à Marc, le plus naturellement du monde (du moins, c'est l'idée) :

— O.K., ça me fera du bien de prendre un peu l'air. Mais euh... j'en ai pour une minute. J'arrive.

Je me précipite dans les toilettes des femmes, et je fais le numéro de Lucy. Une chance ! Elle répond aussitôt.

— Lucy, c'est moi. Je suis avec Marc. Qu'est-ce que je fais, s'il veut m'embrasser ?

Elle est pliée de rire.

— Ah là là là là ! Eh bien, embrasse-le, banane !

— Comment ? Je panique à mort. Et si je suis nulle et qu'il ne veuille plus me voir ?

— Cool, Lizzie ! *Keep cool !* C'est tout simple : laisse-toi guider.

— Et s'il met la langue ?

— Fais comme tu le sens. Ça viendra tout seul.

— Merci.

Oui, c'est bien joli, sauf que je ne suis pas plus avancée. Je vais quand même passer un coup de fil à Tasha, par sécurité.

— Avoir l'haleine fraîche, répond-elle. C'est hyper-important. À part ça, varie l'intensité : soft, moyen, hard. (?!!!) Et passe-lui la main dans les cheveux. Ils adorent ça.

— Et qu'est-ce que je fais de ma langue ?

— Ramone-lui les narines ! glousse-t-elle.

— Oh, Tasha !

— Zen, Lizzie. Tout ira bien. Allez ! Rappelle-moi. Je compte sur toi pour me raconter. Et je veux tous les détails.

Ah, merci, Tasha, merci pour tout ! Et tu peux répondre « de rien » parce que, là, c'est vraiment le cas de le dire !

Elle, elle a embrassé des tonnes de garçons. Alors elle trouve ça super-marrant. Tu parles !

Je retourne mon sac à la recherche d'un chewing-gum. Ensuite, petit raccord de rouge à lèvres. Oups ! Ce n'est peut-être pas une bonne idée. S'il m'embrasse, il risque de s'en mettre partout. Je ferais peut-être mieux de l'enlever avec un mouchoir en papier ? Pouh ! Ce que c'est compliqué ! On devrait avoir des cours là-dessus, au lycée, au lieu d'apprendre les différentes sortes de céréales cultivées dans des pays où l'on ne mettra jamais les pieds.

Je me frotte les lèvres l'une sur l'autre pour bien faire pénétrer mon rouge à lèvres, je balance mon sac sur mon épaule, d'un geste souple mais ferme, et je retourne au front, d'un pas décidé mais décontracté.

Glups ! Il mâche du chewing-gum lui aussi ! Oh, oh ! Pas de doute : travaux pratiques en perspective. Je colle mon chewing-gum contre mes dents. Je ne voudrais pas qu'il pense que j'ai des idées derrière la tête...

En sortant, on va jeter un œil aux affiches de ciné pour voir ce qui se joue en ce moment. Il se met à pleuvoir. Alors, on court se réfugier sous l'Abribus. Personne. Est-ce qu'il va en profiter ? Est-ce qu'il va faire le premier pas ? Ou est-ce que c'est à moi de le faire ? Est-ce que ça ne lui semblerait pas un peu trop... « dévergondé », ainsi que dirait Maman ? Je tremble comme une feuille. Je ne suis pas sûre que ce soit de froid...

Au bout de deux minutes interminables, Marc s'approche de moi et m'enlace. Mmm ! Qu'est-ce qu'il est beau ! Qu'est-ce qu'il est grand et carré et musclé et qu'est-ce que je me sens bien dans ses bras, en sécurité, protégée...

— On gèle, ici, hein ? murmure-t-il. On pourrait peut-être se réchauffer... (C'est une manie, chez lui ! Il doit avoir des problèmes de thermostat.)

Cette fois, c'est la crise de tétanie. Je suis paralysée. Ça y est. C'est le moment. Prépare-toi à lui offrir tes lèvres, Juliette. Ah ! Roméo !

Il se penche vers moi. Je lève la tête vers lui. Et bang ! Rencontre de nez au sommet !

— Oups ! lâche-t-il en riant.

Et puis à nouveau, il se penche – plus doucement, cette fois. Je ne peux même plus bouger. Figée de chez figée. Et là, le choc ! Ses lèvres toutes chaudes sur les miennes... Et pourtant, la seule chose à laquelle je pense, c'est : où poser mes mains ? Et si je suivais le conseil de Tasha ? Je glisse ma main sur sa nuque et... Argh ! J'ai les doigts collés. Du gel ! Ce ne sont plus des cheveux, c'est de la glu ! Oh non ! Et j'ai toujours mon chewing-gum dans la bouche. Gulp ! Zut ! Je l'ai avalé.

Du coup, je me demande ce qu'il a fait du sien. Il ne mâche plus, en tout cas... Et soudain, me voilà prise d'une crise de fou rire. Oh non !

— Qu'est-ce qui te fait rire ? s'étonne-t-il, un peu décontenancé.

— Euh... je viens d'avaler mon chewing-gum.

Il me jette un petit coup d'œil malicieux et souffle :

— Moi aussi.

Puis il me refait le truc du regard insistant sur la bouche et je sens comme une espèce de tressaillement, de vibration... Ça fait une drôle d'impression. C'est presque douloureux et, en même temps, c'est divin.

— Viens plus près, dit-il en refermant mes bras autour de sa taille.

Il me serre contre lui et recommence à m'embrasser. Un baiser tout doux, au début, puis plus profond. Et pas de collision de nez, cette fois ! Mmmm ! C'est merveilleux ! Fantastique ! Cosmique ! Magique ! Je voudrais que ça ne s'arrête jamais.

— Tu embrasses bien, me félicite-t-il finalement, au bout d'un loooooong moment.

— Merci.

Youpi ! Chez moi, c'est inné ! Je suis naturellement douée ! Alors je l'embrasse encore une fois, pour vérifier. Il faut bien s'entraîner, si on veut se perfectionner...

On a bien dû rester un siècle sous cet Abribus. Au moins six ou sept bus sont passés, entre-temps. Et on est toujours là, blottis l'un contre l'autre, à s'embrasser non-stop.

— Et si on recommençait, un de ces jours ? demande Marc, au moment où un huitième bus s'arrête devant nous.

Je hoche la tête en silence.

— Hé ! Vous montez, oui ou non ? nous interpelle le chauffeur en ouvrant les portes.

Je jette un coup d'œil à ma montre. Ouah ! Sept heures ! Je vais me faire assassiner.

Je soupire d'un air navré :

— Je dois y aller.

— Je t'appelle, alors, Lizzie Foster ! me lance-t-il en souriant, avant de tourner les talons.

Ah ! Roméo, Roméo, Roméo...

BAISERS COSMIQUES
par Lizzie Foster

Je t'envoie des baisers cosmiques,
De mon cœur par la voie des airs.
Rien ne pourra nous séparer,
Ni un choc intergalactique,
Ni une collision planétaire,
Pas même une bombe atomique,
Ni tout l'espace interstellaire.

Où que tu ailles, où que tu sois,
Je serai toujours avec toi.
Je chevaucherai les comètes, traverserai l'immensité.
La distance entre toi et moi
N'suffira jamais, quelle qu'elle soit,
Pour m'empêcher de te r'trouver
Et de me jeter dans tes bras.

En une fraction d'éternité,
Ton regard s'est mué en baiser.
En une fraction d'éternité,
Ma vie à jamais a changé
Pour le meilleur, j'en suis certaine.
Tu feras de moi une reine.
Tu es ma chance, ma bonne fortune.
Cette fois, j'ai décroché la lune.

Et je t'envoie des baisers cosmiques,
De mon cœur par la voie des airs.
Rien ne pourra nous séparer,
Ni un choc intergalactique,
Ni une collision planétaire,
Pas même une bombe atomique,
Ni tout l'espace interstellaire.

11

NON MAIS, QU'EST-CE QUE C'EST QUE CET ENFER SUR TERRE ?

Dernière semaine du premier trimestre : les profs sont hyper-cool, le lycée est décoré comme un sapin de Noël – il y en a un énorme dans le hall – et tout le monde est de bonne humeur.

Sauf moi. Scrogneugneu, scrogneugneu ! C'est moi grincheux. (Oh ! là là ! N'importe quoi !)

Pour notre dernier cours de littérature, M. Johnson nous a demandé d'apporter le livre que nous avons préféré parmi tous ceux que nous avons lus depuis le début de l'année scolaire, et d'en présenter un passage en cours.

La moitié des filles sont venues avec la série des *Harry Potter* sous le bras. Quelques-unes ont choisi la trilogie de Philip Pullman, *Les Royaumes du Nord.* Mary O'Connor nous a dégotté un bouquin qui s'appelle *Olivia* de Rosie Rushton. Quand Mary nous en a lu un paragraphe, toute la classe était pliée (même moi, malgré mon humeur de chien).

Pour ma part, j'ai apporté mon livre sur Dorothy Parker, puisque je viens de le finir.

— À toi, Lizzie. Nous t'écoutons, déclare M. Johnson.

Je préfère annoncer la couleur :

— C'est très court. C'est de Dorothy Parker.

M. Johnson hausse un sourcil.

— Bien. La brièveté ne nuit pas à l'intérêt de l'exercice, m'assure-t-il. Vas-y.

— *What fresh hell is this ?* Ce qui donne à peu près : « Non mais, qu'est-ce que c'est que cet enfer sur terre ? Qui a éteint le feu ? »

Il me regarde avec des yeux ronds.

— Pourquoi as-tu choisi cette citation, Lizzie ? demande-t-il.

— Ça me paraît de circonstance.

Il éclate de rire.

— Ah ! Pour sortir des sentiers battus, on peut te faire confiance !

Sans plaisanter c'est carrément de circonstance ! Ça ne peut pas coller mieux, même. Juste au moment où tout baigne et où je me prends pour la championne du baiser toutes catégories – la fille qui embrasse le mieux de tout le nord de Londres (restons modeste !) –, voilà que la torture recommence. Et je suis sûre que j'en reprends pour des jours et des jours à me morfondre dans ma chambre. Marc a bien dit qu'il m'appellerait, pourtant. J'aurais mis mes deux mains, mes deux jambes, ma tête à couper qu'il allait tenir sa parole, cette fois. J'en étais persuadée. Après tous ces super-baisers cosmiques, comment pouvait-il résister ?

Eh bien, il a résisté. Et c'est comme ça qu'on se retrouve femme-tronc !

Moi, à peine rentrée, j'ai eu envie de lui téléphoner. Rien que pour entendre sa voix. Quand j'ai fait mon rapport détaillé à Tasha et à Lucy, elles m'ont pourtant toutes les deux formellement interdit de craquer. Il faut que je le « laisse respirer ».

— J'ai son numéro ! ai-je protesté.

— J'en ai parlé à Tony, a objecté Tasha. Et il est d'accord avec moi. C'est à Marc de t'appeler.

Tony ? Elle a parlé de mes amours avec Tony ?

J'ai rappelé Lucy.

— Maintenant qu'on s'est embrassés c'est normal de rester en contact, non ?

— Non, pas vraiment, a-t-elle répondu. J'ai tout compris en lisant *Les hommes viennent de Mars, les femmes viennent de Vénus*. Dans ce bouquin, ils expliquent que, par nature, les hommes craignent une trop grande intimité et qu'il ne faut surtout pas leur mettre la pression, sinon ils courent se réfugier dans leur caverne ou un truc dans le genre. En fait, les hommes, c'est comme un élastique : si on les laisse s'éloigner autant qu'ils veulent, clang ! ils reviennent automatiquement. J'en ai discuté avec Tasha. Elle est d'accord avec moi. Ne l'appelle pas.

Je ne le crois pas ! Tout le monde a examiné mon cas avec tout le monde. D'ici à ce qu'ils aient ouvert un site sur l'Internet, il n'y a pas des kilomètres !

www.qu'estcequevouscroyezqueLizziedoitfaire-maintenant.com.

Non, je ne suis pas une *start-up* ! Je ne fais pas dans les affaires, moi, je m'occupe des miennes !

Et vous devriez suivre mon exemple ! Parce qu'elles sont privées, mes affaires !

NON MAIS, QU'EST-CE QUE C'EST QUE CET ENFER SUR TERRE ?

Plus les jours passent et plus la tentation de composer le numéro de Marc devient irrésistible.

Un soir, j'ai fini par craquer. Je suis tombée sur un répondeur et j'ai tout de suite raccroché.

Le lendemain, j'ai recommencé. Mais je me suis dégonflée avant que ça décroche. Peut-être que Lucy et Tasha avaient raison : je devrais attendre.

Attendre ! Toujours attendre ! Marre d'attendre !

J'ai retéléphoné le lendemain. Cette fois, il a répondu. J'ai perdu tous mes moyens, en entendant sa voix, et j'ai lâché le combiné comme s'il m'avait brûlée. Il était chez lui ! Il était chez lui : donc, il aurait pu m'appeler ! Qu'est-ce qu'il pouvait bien faire de plus important que de parler avec moi ?

J'ai peut-être dit quelque chose qui ne lui a pas plu. Je me repasse toute la conversation du Café Orbital dans les moindres détails. Cherchez l'erreur. Est-ce qu'il a été vexé que je le prenne en flagrant délit, avec cette histoire de téléphone volé ? Je ne lui plais plus ? Est-ce que maintenant qu'on a flirté, je ne l'intéresse plus ?

À moins que... Oh non ! À moins qu'il n'ait rencontré quelqu'un d'autre...

Cette fois, j'ai bien préparé mon speech. Allez, Lizzie ! Brillant, le texte ; joviale, la voix ; dégagé, le ton.

On y va. C'est parti.

Je retombe sur le répondeur.

— Euh... salut... Euh... c'est moi. Je me demandais juste ce qui se passait.

Et je raccroche. « Je me demandais juste ce qui se passait » ? C'est censé signifier quoi, ça, au juste ? Ce qui se passe, genre « dans le monde » ? À moins qu'il ne me prenne pour la super-glu de service, genre ce qui se passe « entre nous » ? Oh, mais ce n'est pas du tout ce que j'avais prévu ! C'était supposé sonner vachement cool, genre « Quoi de neuf, docteur ? ». Au fait, j'ai dit : « C'est moi. » Qui ça, « moi » ? Il n'est pas médium, non plus ! Il va penser que je suis gravement givrée.

Je rappelle.

— Au cas où tu te demanderais qui est « moi », c'est moi, Lizzie. Euh...

Oh, flûte ! Mon super-discours ultra-brillantissime s'est évanoui dans la stratosphère. Quand je repose le combiné, je suis au quatrième dessous. Maintenant, il va vraiment croire que je suis désespérée. Accro. Crampon. Que je me traîne à ses pieds. Pourquoi ne m'a-t-il pas appelée ? Qu'est-ce que j'ai ? Qu'est-ce qui ne va pas chez moi ?

Vendredi : dernier jour de classe avant les vacances de Noël. L'ambiance est déjà à la fête. Et on a éducation religieuse à onze heures. Avec cette pauvre Mlle Hartley !

Je suppose qu'au bout de huit cours avec nous, elle ne peut déjà plus nous voir et qu'elle est venue avec la ferme intention de nous clouer le bec. Du moins, c'est ce qu'elle espère...

— Bien. Au cours des semaines écoulées, nous

avons étudié les différentes religions et beaucoup parlé de Dieu, récapitule-t-elle. Aujourd'hui, j'aimerais que nous passions à quelque chose d'un peu moins théorique. Nous allons donc voir la prière et la méditation.

Génial ! Exactement ce qu'il me faut, en ce moment. Quelque chose qui fasse taire ces maudites voix qui me font tourner en bourrique : « Téléphone. Ne téléphone pas. Téléphone. Ne téléphone pas... »

— Pour commencer, je vous donne vingt minutes pour écrire une prière, poursuit Mlle Hartley. Ne vous inquiétez pas, je ne vous demanderai pas de la lire à haute voix. C'est juste pour vous.

Parfait. J'ai quelques petites choses que j'aimerais bien dire à Dieu, moi. Je prends une feuille et je me lance :

Cher Dieu,

Je sais que vous êtes très occupé – faire tourner les planètes, maintenir l'équilibre du cosmos, et tout ça –, pourriez-vous quand même m'accorder une petite minute, s'il vous plaît ?

Comme vous êtes omniscient, vous savez sans doute déjà ce que je vais vous dire. Peut-être que je ferais mieux de ne pas vous faire perdre votre temps.

Quoique, après tout, comme vous êtes éternel, vous avez tout le temps devant vous. Mon Dieu, que c'est compliqué !

Pourriez-vous... ? Bien sûr que vous pouvez, vous êtes aussi omnipotent. Peut-être que je ne devrais rien vous demander du tout, finalement. Vous savez ce que vous faites. Vous êtes mieux placé que moi pour ça. Peut-être que vous pourriez me dire ce qu'il faut que je vous demande dans mes prières, en fait ? Parce que, parfois, j'avoue que je ne sais plus trop où j'en suis.

P.-S. : Pourriez-vous faire le nécessaire pour que Marc m'appelle ou, sinon, pour que j'arrête de me prendre la tête, comme en ce moment, S.V.P. ?

P.-P.-S. : Est-ce que vous pourriez stopper ma croissance maintenant, S.V.P. ? Dans le sens de la largeur, surtout. Je trouve que mon postérieur est déjà assez gros comme ça, merci.

P.-P.-P.-S. : Que la paix règne sur la Terre et que tout le monde soit heureux.

Enfin, si ça vous va et que ça ne chamboule pas trop ce que vous avez prévu, bien entendu. Amen.

Bisous,

Lizzie Foster. [1]

Au bout des vingt minutes réglementaires, Mlle Hartley reprend la parole :

— Nous nous sommes donné le nom d'êtres humains, commence-t-elle d'un air inspiré. Mais que *sommes*-nous vraiment ? Ne sommes-nous pas plutôt des « *faires* » humains, courant sans cesse pour *faire* ceci ou cela ? Quand nous arrêtons-nous pour *être*, tout simplement ?

J'aime assez l'idée : être un *être* humain. C'est cool.

1. « Pourvu que ma prière ne vous semble pas trop insignifiante, mon Dieu ! Vous êtes assis là-haut, si grand, si éternel, avec tous vos anges autour de vous, et toutes vos étoiles dans le ciel. Et moi je viens vous supplier à propos d'un coup de téléphone ! Ne riez pas, mon Dieu ! Vous ne pouvez pas comprendre ce que ça fait. » (« Le coup de téléphone » dans *La Vie à deux* de Dorothy Parker.)

— D'autre part, enchaîne-t-elle, si prier, c'est parler à Dieu, de même, méditer revient à écouter. Il s'agit de se retirer en soi-même et de laisser le silence nous parler. Essayez d'assimiler votre esprit à la mer. À la surface, il y a les pensées qui vous agitent, comme les vagues qui enflent, s'élancent puis s'écrasent dans un mouvement perpétuel. Pourtant, plus vous vous enfoncez dans les profondeurs marines, plus le calme se fait. Il en est de même avec votre esprit : les pensées, les sentiments, les émotions... si vous vous absorbez en vous-même, si vous cherchez au plus profond de vous, vous trouvez la paix intérieure.

Super ! C'est bien dommage que la pauvre Mlle Hartley se fasse chahuter par tout le monde. Je la trouve plutôt intéressante, moi. Du moins, elle m'intéresse. J'ai hâte d'essayer.

— Chacun trouve la méthode qui lui convient le mieux, poursuit-elle. Pour l'heure, je vous demande de vous installer confortablement, de fermer les yeux et de vous isoler de ce qui vous entoure afin de vous concentrer sur ce qui se passe en vous. Certaines personnes trouvent plus facile de se concentrer en utilisant un moyen particulier. Un mantra, par exemple. L'une d'entre vous sait-elle de quoi il s'agit ?

Je lève la main.

— C'est un mot, madame.

— Très bien, Lizzie. Le plus connu est « om ». Il suffit de penser au mot « om » et de se le répéter encore et encore, mentalement, jusqu'à parvenir à faire le vide dans son esprit. Bien. Commençons. Fermez les yeux. Méditez.

Je me concentre et j'essaie de faire le vide dans mon esprit.

Pensée n° 1 : Mon esprit est vide.

Pensée n° 2 : Mais non ! Ce n'est pas possible. Tu viens de le penser.

Pensée n° 3 : De penser quoi ?

Pensée n° 4 : De penser que ton esprit était vide. S'il était vraiment vide, tu ne penserais à rien. Tu ne penserais même pas du tout.

Pensée n° 5 : O.K. On recommence.

Pensée n° 6 : Oh, cette Tasha ! Je l'aurais tuée ! Aller raconter mes histoires à Tony ! Elle est gonflée, tout de même !

Pensée n° 7 : Pourquoi, mon Dieu ? Pourquoi Marc ne m'appelle-t-il pas ?

Pensée n° 8 : J'ai été idiote. Je n'aurais pas dû lui téléphoner.

Pensée n° 9 : Pourquoi une fille ne pourrait-elle pas appeler un garçon, d'abord ?

Pensée n° 10 : Eh bien, ça ne m'aide pas du tout. O.K. On se concentre. On essaie le mantra. *Om. Om. Om. Om. Om.* Oh non ! Gratt', gratt', gratt' ! Ça me démange derrière l'oreille.

Pensée n° 11 : Combien de gens y a-t-il dans ma tête exactement ? Je crois que je deviens vraiment timbrée. *Om, om, ooooooooom.*

Pensée n° 12 : Et si je jetais un œil, juste pour voir comment Tasha et Lucy se débrouillent ?

Je soulève la paupière droite et balaie toute la classe de mon rayon laser.

La plupart des filles sont gentiment assises, les yeux fermés. Candice Carter a l'air de s'endormir. Elle pique du nez et, d'une seconde à l'autre, sa tête va s'écraser sur son bureau.

Je me tourne vers Lucy. Elle a un œil ouvert, elle aussi. Nos regards se croisent et nous voilà prises d'un fou rire.

C'est alors qu'on entend, au fond de la classe :

— Croa, croa.

Tiens ! une grenouille.

— Houhouhou.

Allons bon ! Un hibou.

— Miaouuuuu.

Je fais très bien le chat.

— Meuhhhhh.

Et Lucy, très bien la vache.

Toute la classe s'y met et, bientôt, c'est une vraie ménagerie.

— Mesdemoiselles ! Mesdemoiselles ! s'égosille Mlle Hartley.

Trop tard, on est déjà toutes mortes de rire. Ouah ! J'en ai mal au ventre.

Noël : paix et bonté pour tous les hommes sur la Terre. Ouais, eh bien, pas pour les élèves de 3e 1 A, alors. Toute la classe est collée pendant le déjeuner. Une heure de colle ! Le dernier jour avant les vacances ! Pourtant, je me sens un peu mieux. Peut-être que la prière et la méditation sont efficaces, finalement.

D'un autre côté, peut-être qu'une bonne crise de fou rire ne marche pas trop mal non plus...

Pour nous occuper, Mlle Hartley nous ordonne de copier les paroles des cantiques que nous chantons à l'office.

— Je suis dans la salle des professeurs, juste à côté, nous informe-t-elle. Si jamais j'entends l'une d'entre vous parler, votre retenue sera prolongée d'un quart d'heure.

Nous nous mettons toutes à écrire docilement. Au bout de quelques lignes, je commence déjà à en avoir marre. Je préfère écrire une chanson sur les garçons qui n'appellent jamais. Et puis, il me vient une idée, tout à coup : Mlle Hartley a bien dit que si elle nous entendait *parler*, toute la classe se prendrait un quart d'heure de colle en plus ? Par contre, elle ne nous a pas interdit de chanter...

Après tout, c'est Noël, non ? J'entonne donc un chant de Noël que tout le monde reprend en chœur :

Comme les Rois mages, en Galilée,
Suivaient des yeux l'étoile du Berger,
Je te suivrai, où tu iras j'irai
Fidèle comme une ombre
Jusqu'à destinatioooooon.
Pam, pam, pampampam...

Ouf ! La cloche ! C'est la fin du trimestre !
Joyeux Noël à tous !

LES TECHNIQUES DE DRAGUE DE TASHA

ÉTEINS TON TÉLÉPHONE
par Lizzie Foster

Tu crois qu'tu vas sortir ? Tu vas rester cloîtrée.
Tes soupirs et tes larmes n'y pourront rien changer.
Mais pourquoi c'téléphone ne veut-Il pas sonner ?

Tu sais très bien qu'il joue, que, comme tous les garçons,
Tout ce qui l'intéresse, c'est d'faire une collection.
Mais tu n'préfères pas voir qu'il se moque de toi,
Tant qu'tu pourras encore te blottir dans ses bras.

Il te jure d'être à tes côtés,
pour faire face à l'adversité.
Mais tu sais bien qu'il le promet
à toutes celles qui se laissent charmer.

Tu pleures, tu désespères. Il n'en a rien à faire.
Tes soupirs et tes larmes n'y pourront rien changer.
Pourquoi n'peut-il donc pas te dire la vérité ?

Mets-toi sur répondeur. Éteins ton téléphone.
Prends la vie à bras-le-corps.
Ton cœur battra plus fort.
Crois seulement en toi. Ne compte sur personne.
Sors, bouge, danse, vis ta vie.
C'est comme ça qu'on grandit.

Alors, éteins ton téléphone. Mets-le sur messagerie.
Oublie ta solitude et dis oui à la vie.

12

JOYEUX BIOËL !

Maman s'est levée de bonne heure pour décorer notre arbre de Noël. Comme d'habitude : blanc et argent ; chaque boule, placée avec une précision chirurgicale ; chaque guirlande, enroulée avec soin autour des branches de manière à former un cercle parfait. Quel contraste avec celui de Lucy ! Chez elle, c'est plutôt comme si un lutin facétieux avait balancé à la volée une boîte de boules et de guirlandes multicolores sur le sapin. Celui de Maman est très beau, n'empêche : élégant, majestueux, très *Elle Décoration.*

— Envie de participer ? propose Maman.

— Non, pas vraiment.

Et je m'affale sur le canapé. Je sais, par expérience, que ce n'est pas la peine. Elle a une idée très précise de ce qu'elle veut et je suis sûre que je vais encore mettre une étoile de travers ou un truc dans le genre.

— Qu'est-ce qu'il y a, Lizzie ? demande-t-elle en posant sa guirlande. Elle vient s'asseoir en face de moi.

— Rien.

— Oh, encore ! s'écrie-t-elle en riant. Moi, c'est pareil. Un rien me démoralise.

— C'est juste que... chais pas, la fin des cours, les fêtes, tout ça...

— D'habitude, tu es radieuse à l'approche des fêtes.

— Oui, mais tu sais... Chais pas...

Maman me dévisage avec inquiétude.

— J'aimerais tellement que tu me dises ce qui ne va pas, Lizzie. Je peux peut-être t'aider.

Pas de danger ! Personne ne peut m'aider.

— C'est juste que je pense une chose et je me retrouve à faire le contraire. C'est comme pour cette histoire de manger sain. J'ai d'abord décidé de changer mon alimentation. Et puis je me suis accordé un petit extra, de temps en temps. Au final, j'ingurgite des tonnes d'extras, et un truc sain de temps en temps. Même ça, je suis incapable de le faire. Chuis nulle.

— C'est humain. Tu es juste normale, Liz, me rassure-t-elle. Mais ce n'est pas tout, n'est-ce pas ?

Je hausse les épaules, mal à l'aise.

— Ne serait-ce pas ce jeune homme qui a appelé ?

— Qui n'a pas appelé, plutôt ! Et je ne sais même pas ce que j'ai fait de mal.

— Rien, probablement. Les garçons sont d'étranges créatures. Ils appellent quand on ne s'y attend pas. Ils n'appellent jamais quand on attend leur coup de fil.

— Alors, explique-moi, parce que, moi, je n'y comprends rien. Il faudrait que je regarde d'un peu plus près ce bouquin, là, *Les hommes viennent de*

Mars, les femmes viennent de Vénus. On devrait avoir des cours là-dessus, au lycée, au lieu de perdre notre temps avec des trucs qui ne nous servent à rien. Enfin, pas dans la vraie vie, en tout cas.

— Je me souviens, quand j'avais ton âge – ou, peut-être, un peu plus tard –, quand j'ai commencé à m'intéresser aux garçons. Le latin, les maths, les cours de lettres et de sciences naturelles, tout cela ne m'était guère utile pour attirer l'attention de mon béguin du moment.

— Justement. Personne ne nous apprend à faire face à la situation. Qu'est-ce qu'il faut faire, s'il appelle, par exemple ? Ou s'il n'appelle pas ? On dirait que j'ai tout fait de travers.

Maman sourit.

— L'école à laquelle j'allais n'était pas beaucoup mieux. C'était un établissement religieux très strict. Vous avez droit à des cours d'éducation sexuelle, vous, au moins. Un jour – je devais avoir à peu près seize ans –, la mère supérieure nous a réunies pour nous donner des conseils pratiques concernant les « surprises-parties ». « Si les lumières s'éteignent, nous a-t-elle expliqué le plus sérieusement du monde, regroupez-vous dans un coin et criez de toutes vos forces : *Je suis catholique !* »

Je glousse :

— Et c'était supposé vous aider ?

— Il y a de quoi s'interroger, en effet. Nous imaginions déjà tous les garçons se passant le mot : « Pour les filles du couvent, c'est dans le coin, là-bas. » Cette respectable dame a ajouté qu'il était permis de s'asseoir sur les genoux d'un garçon à la condition expresse de mettre un livre de l'épaisseur d'un annuaire téléphonique entre lui et nous.

— Pauvre Maman !

Au même moment, la sonnette de l'entrée a retenti.

— J'y vais ! lance-t-elle en me faisant un clin d'œil.

Elle revient trois minutes plus tard avec, dans les bras, ce qui ressemble à un gros carton de provisions. Toutes les bonnes choses pour le réveillon de Noël ! Comment résister ?

— Viens avec moi dans la cuisine, m'ordonne-t-elle.

Je la suis, en espérant que je ne vais pas encore avoir droit à une leçon de morale, comme quoi je suis censée manger ce qu'on me donne, avec tous ces pauvres gens qui n'ont rien, etc., etc., etc.

— Tan tan tan ! s'écrie Maman en sortant du carton une boîte de pizza, comme un magicien sort un lapin de son chapeau. Regarde ce que j'ai là !

Qu'est-ce qui lui arrive ? Pas du tout son genre de jouer les vendeurs de foire. Je la trouve hyper-bizarre, tout à coup.

— Regarde ! répète-t-elle, rayonnante, en me présentant la boîte. De la pizza... biologique !

Et elle commence à déballer tout le contenu du carton en faisant l'inventaire :

— Muesli. Tu aimes le muesli, n'est-ce pas ? Œufs de ferme. Riz brun. Pain complet. Pudding de Noël, SANS matières grasses animales. Ingrédients pour un rôti de Noël végétarien : noix, noisettes, amandes, oignons, champignons..., le tout biologique, bien sûr. Et le clou du spectacle : crème glacée au chocolat biologique SANS conservateurs. Prends une cuillère et goûte.

Je jette un coup d'œil incrédule dans le carton. Elle a également acheté des tonnes de fruits et de légumes frais.

— Maman ! C'est... c'est hallucinant !

— N'est-ce pas ? Jamais je n'aurais pu imaginer qu'il existait une telle diversité dans les produits biologiques. De mon temps, manger sain signifiait manger des choses insipides et peu appétissantes. Aujourd'hui, on trouve des produits biologiques partout. Et tout est si alléchant. D'ailleurs, après ma petite conversation avec M. Lovering...

— Ah ! C'était donc ça !

Maman hoche la tête et s'assied à la table de la cuisine.

— Je me suis fait tellement de souci pour toi, Lizzie. Surtout avec cette subite obsession pour le sain et l'alimentairement correct. J'ai imaginé le pire : les sectes, l'anorexie... M. Lovering m'a rassurée et m'a donné quelques conseils. Il est temps que je change ma façon de me nourrir, moi aussi. Tu avais raison : j'ai tendance à manger à la va-vite et à avaler tout ce qui me tombe sous la main. Dorénavant, nous prendrons de bonnes habitudes alimentaires et mangerons sainement dans cette maison.

Je fais le tour de la table et je la serre dans mes bras.

— Oh, merci, Maman ! C'est le plus beau cadeau de Noël que tu pouvais me faire.

— Tout le plaisir est pour moi, ma chérie, répond-elle en m'enlaçant avec tendresse. À nous deux, nous parviendrons bien à trouver un juste équilibre. Nous mangerons des produits sains et frais, en privilégiant les fruits et les légumes. Et nous pourrons toujours nous réserver nos petits extras.

— Génial ! Elle est où, déjà, cette glace bio dont tu parlais ?

13

SOIRÉE-PYJAMA

Vers six heures, je retrouve Lucy chez Tasha. Au programme : soirée-pyjama et grand débat sur « Comment se fringuer pour la fête du lycée, demain ? ».

Je ne leur ai pas encore annoncé que je n'avais aucune intention d'y aller.

Lucy était déjà là quand je suis arrivée. Elle est super-sexy dans sa petite jupe noire taille basse, avec sa brassière mauve pâle qui lui découvre le ventre – encore une de ses créations. Sans compter qu'elle s'est mis du fard à paupières ET du rouge à lèvres. Que d'efforts pour une banale soirée entre filles chez une copine ! Évidemment, pour Lucy, c'est bien plus que ça. Cette nuit, elle dort sous le même toit que son petit copain. Oh, oh ! Ça promet...

Avant de partir assister à un concert, les parents de Tasha viennent nous dire bonsoir.

— Les lits sont faits dans la chambre d'amis pour Lucy et toi, m'informe Mme Williams. Si vous avez besoin de quoi que ce soit, n'hésitez pas à demander à Tasha.

— Merci, madame Williams.

Elle a sorti la tenue de soirée pour l'occasion. Elle a un look d'enfer dans son ensemble pantalon de crêpe noir. Elle est super-glamour, la mère de Tasha.

— Ne vous couchez pas trop tard, nous recommande M. Williams en venant lui prendre le bras.

Lui, c'est le bel Italien ténébreux dans toute sa splendeur. Il a tout d'une star de cinéma. Avec des parents pareils, pas étonnant que Tasha soit aussi canon !

Ils n'ont pas tourné les talons que Tasha attaque le brûlant sujet qui est censé nous passionner : que porter pour la fête de demain ?

— Attention ! Attention ! Le défilé va commencer ! s'écrie-t-elle, hyper-excitée. Maman m'a acheté une nouvelle robe. Elle est trop top ! Je meurs d'envie de vous la montrer.

Et la voilà qui disparaît dans le couloir. Quand elle revient... Ouah ! Elle porte une minirobe en cuir argent, style Courrèges pur *vintage*, avec un long pendentif en métal qui tombe dans son décolleté carré. Elle est sublimissime ! Une gazelle. Elle a des jambes ! On n'en voit pas le bout, la veinarde !

Je ne peux pas m'empêcher de m'extasier :

— Tasha, franchement, tu es à tomber. Et tu mets quoi, comme chaussures ?

— Chais pas, répond-elle, en nous montrant les deux paires qu'elle cachait derrière son dos. Il y a bien ces bottes, pour jouer le look *sixties* à fond. Ou alors ces petits escarpins argent à bout carré. Vous ne croyez pas que c'est un peu trop estival pour un mois de décembre ?

— Non, non. Ça fait super bien. Avec la petite boucle argent sur le dessus, assortie à ton pendentif, c'est impec', affirme Lucy. De toute façon, on crèvera de chaud, une fois qu'on aura commencé à danser. Et toi, Liz ? Qu'est-ce que tu as prévu pour demain ?

— Rien. Je n'y vais pas.

— Quoi ! s'exclament-elles en chœur, avec un regard horrifié.

— Comment ça, tu n'y vas pas ? se fâche Tasha.

Je hausse les épaules.

— Pas envie.

— Je croyais que Marc y allait ? s'étonne Lucy.

— C'est ce qu'il a dit. Mais il ne m'a pas téléphoné pour qu'on y aille ensemble et je ne tiens pas à tomber sur lui, là-bas. Les montagnes russes, la déprime, les questions en boucle, merci. J'ai déjà donné. Après tout, s'il veut me voir, il peut bien se fendre d'un coup de fil, non ?

— Absolument, approuve Tasha. Sauf que je ne vois pas pourquoi tu devrais rater la fête à cause de lui.

— Il faut que tu viennes, Liz, trépigne Lucy. Je croyais que tu voulais voir King Noz jouer. Tu pourras toujours lui tourner le dos, s'il vient. Et puis on sera là, nous.

Je ne suis pas convaincue.

— De toute façon, je n'ai rien à me mettre. Comment tu te fringues, toi, Lucy ?

— Je me suis fait une tenue spéciale, répond-elle. Vous verrez demain. C'est une surprise.

Lucy est la reine de la machine à coudre. Un bout de tissu, une paire de ciseaux, et elle crée des merveilles. Elle nous a déjà fait des petits hauts, à Tasha et à moi. Hyper-craquants. Du vrai travail de pro.

— Oh, allez, Lizzie ! m'implore Tasha. Ce ne sera pas pareil, sans toi. Et jamais on ne laissera une histoire de garçon nous séparer... Tu te souviens ?

Bien sûr que je m'en souviens ! Et elle a raison. Je recommence à délirer. Courir partout pour essayer de tomber sur lui comme par hasard n'a servi à rien. Rester cloîtrée à la maison en attendant son coup de fil, non plus. Bouder et me cacher dans mon terrier ne marcherait pas mieux. Oh, pourquoi faut-il que ce soit toujours si compliqué ?

— Je suppose que je pourrais essayer de venir une petite heure...

— Génial ! s'enthousiasme aussitôt Lucy. D'ailleurs, ajoute-t-elle avec un petit sourire espiègle, j'ai apporté quelque chose pour toi, ce soir. Exactement ce qu'il te faut pour te préparer à la fête de demain...

Une demi-heure plus tard, me voilà plantée devant le miroir en pied, dans la chambre de Tasha. Je suis les instructions de Lucy qui me guide, assise sur le lit. Allongée à côté d'elle, Tasha me soutient moralement.

— Recommence, m'ordonne Lucy. Et essaie d'y mettre un peu plus de conviction.

Le mystérieux « quelque chose » qu'elle a apporté n'est autre qu'un des livres de « développement personnel » de sa mère.

— C'est pour toi, ça, Liz ! s'est exclamée Lucy, juste avant de débuter la séance. Il suffit de répéter les affirmations du livre jusqu'à ce que tu finisses par y croire.

Elles se sont alors toutes les deux mises à parcourir le bouquin en entier pour sélectionner la formule magique.

— Recommence, m'enjoint Lucy.

Je me redresse, je m'éclaircis la gorge et je déclare au visage sinistre qui me regarde dans la glace :

— « Je rayonne de joie. » « Je rayonne de joie. » « Je RAYONNE de joie. »

— Ouais, ça en a l'air ! soupire Tasha en secouant la tête.

Je m'affale sur le lit à côté d'elles.

— Désolée, les filles. J'aurai essayé.

— Peut-être que ce n'est pas la bonne formule, s'entête Lucy en se replongeant dans le bouquin.

Je regarde la couverture. *Changer de vie en changeant vos pensées* : tout un programme !

Je décide de faire preuve de bonne volonté :

— O.K., choisis-en une autre.

Après tout, c'est pour moi qu'elles se donnent tout ce mal. Le moins que je puisse faire, c'est d'entrer dans leur jeu.

— *Je suis super, je suis fière, je sais y faire*, déclame Lucy. Nan, ça ne colle pas.

— Essaies-en une autre, conseille Tasha.

— *Je suis riche, je suis belle, tout me réussit à merveille.*

Je me tourne vers Tasha en riant.

— Elle est pour toi, celle-là.

Tasha se lève et se campe devant le miroir.

— « Je suis riche, je suis belle, tout me réussit à merveille. » « Je suis riche, je suis belle, tout me réussit à merveille », répète-t-elle avec assurance. Il n'y en aurait pas une pour les filles qui ont des grands pieds ?

Je m'empare du manuel miracle et je lance :

— Qu'est-ce que tu dis de celle-ci ? *Pour me sentir bien, je me masse les mains ; pour me sentir gaie, je me masse les pieds.*

— Oh ! beuuuuuuurk ! grimace Tasha. C'est écœurant !

— Non, non, ne te laisse pas décourager ! Ah ! En voici une pour moi. Parfait. Au chapitre : « Retrouver confiance en soi ». *Plus je fais bonne mine, plus mes jambes s'affinent.* Ou : *Tout le monde le sait, je raffole de mon nez.*

On se tord de rire avec Tasha.

Lucy me prend le livre des mains et recommence à le feuilleter.

— Ce n'est pas en vous marrant comme des baleines que vous allez y arriver, ronchonne-t-elle. Tiens, écoute ça, Liz : *Demain, je séduirai le garçon qui me plaît, et il ne tient qu'à moi qu'il me tombe dans les bras.* Vas-y. Lève-toi et va te le dire dans la glace.

— Je suis vraiment obligée ?

— Oui.

Je m'exécute en traînant les pieds.

— « Demain, je séduirai le garçon qui me plaît, et il ne tient qu'à moi qu'il me tombe dans les bras. » « Demain, je séduirai le garçon qui me plaît, et il ne tient qu'à moi qu'il me tombe dans les bras. » « Demain... »

C'est à ce moment-là que Tony fait son entrée.

— Aujourd'hui, je séduis la ravissante Lucy, et

il ne tient qu'à moi qu'elle me tombe dans les bras, lance-t-il en riant, avant d'aller embrasser Lucy sur la joue. Tu viens, Luce ?

Lucy pique un fard magistral – comme toujours quand Tony est dans les parages –, puis elle se lève et le suit jusqu'à sa chambre.

Je les regarde s'éloigner dans le couloir et me retourne vers Tasha.

— Oh, oh ! Torrrrrrride !

— Il n'a pas intérêt, grommelle Tasha. Si jamais il essaie, je le tue.

Tasha et moi passons le reste de la soirée à nous vernir les ongles et à essayer tout un tas de maquillages. Tasha se peint les ongles en violet, comme d'habitude. Quant à moi, j'ai choisi un joli bleu nuit que je vais étoiler avec un brillant pailleté.

— « Demain, je séduirai le garçon qui me plaît », répétons-nous en boucle, en attendant le séchage de la deuxième couche.

Puis on recommence en prenant tous les accents possibles et imaginables : écossais, irlandais, américain, français, indien...

Ensuite, Tasha me montre un enchaînement qu'elle a mis au point pour la fête de demain. Pour ne pas être en reste, je lui explique quelques pas appris en cours de danse irlandaise, quand j'étais en primaire.

Puis on s'effondre sur le canapé pour regarder une série complète des épisodes de *Friends* en vidéo. Quand on arrive à la fin de la dernière, il est déjà onze heures et demie. Et Lucy et Tony n'ont toujours pas donné signe de vie.

Tasha me conduit à la chambre d'amis. On ouvre les lits pour la nuit. Puis elle se décide à aller frapper à la porte de Tony. Elle appuie sur la poignée. Ils se sont enfermés à clé...

— Lucy, c'est l'heure d'aller au lit ! braille-t-elle. Qu'est-ce que vous fabriquez là-dedans ?

Concert de petits rires étouffés.

— Rien, rien, répond Tony.

— Bon... Lizzie et moi, on va se coucher, reprend Tasha. Et tu devrais en faire autant avant que mes parents rentrent.

Nouveau concert de petits rires étouffés.

— J'espère qu'elle va bien, me chuchote Tasha d'un air préoccupé.

— Moi aussi.

Je frappe à nouveau.

— Lucy ! LUCY ! Tout va bien, tu es sûre ?

— Oui, oui, répond Lucy. J'arrive dans une minute.

— Ou deux, ajoute Tony.

Je me mets au lit aussitôt et me pelotonne sous les draps. Quel cauchemar, ces dernières semaines, quand j'y pense ! Enfin ! Les choses s'améliorent un peu avec Maman. On a passé un super-moment toutes les deux, ce matin. C'est vrai qu'elle peut être cool quand elle veut. Et j'imagine que je n'ai pas été très facile à vivre, ces jours-ci. Mais ce n'est pas vraiment ma faute. Le passage de Pluton dans mon thème m'a bien compliqué les choses. Quoi qu'en dise Lucy, je suis toujours persuadée que l'astrologie n'est pas si nulle qu'on le prétend. Bon d'accord, je me promets de ne plus être aussi obnubilée par mon horoscope. À faire figurer en bonne place dans la liste de mes résolutions du nouvel an. Et d'être plus sympa avec Maman. Et même avec Angus. Il a été cool pour les photos, l'autre jour. Après tout, c'était le mariage de sa fille. Il aurait pu m'en vouloir à mort et me pourrir la vie à la maison.

Plus ma liste s'allonge et plus je me sens glisser dans le sommeil. C'est soporifique, les bonnes résolutions ! Je suis à deux doigts de tomber dans les bras de Morphée[1] quand j'entends la porte s'ouvrir. J'allume la lampe de chevet et je regarde ma montre : minuit passé.

— Désolée. Je t'ai réveillée ? demande Lucy.

Je lui réponds d'une voix ensommeillée :

— Pas grave. Ch'dormais pas. Cha va, toi ?

Elle s'assied sur le lit et soupire.

— Non, pas vraiment.

Ça me réveille tout à fait et je me cale contre mon oreiller.

— Qu'est-ce qu'il y a ?

Elle a l'air au bord des larmes.

— Tu promets que tu ne le diras pas à Tasha ?

— Promis.

— Parce que, sinon, elle passera un savon à Tony. Et il me plaquera, pour de bon cette fois.

— Pourquoi ?

Elle hésite.

— Pris d'une crise de mains baladeuses, avoue-t-elle.

— Oh !

— Je ne sais pas quoi décider, Liz. Moi, ça me

1. Le dieu grec des Songes, fils de la Nuit et du Sommeil.

suffit de flirter. Mais il veut toujours aller plus loin. Pas moi. Je ne suis pas prête, je le sens bien. Il prétend que je suis trop jeune pour lui, qu'il savait bien que ça finirait comme ça. Il dit que ce serait mieux qu'on arrête de se voir pour qu'il puisse sortir avec une fille de son âge.

— Ça alors !

— Traduction : une fille qui acceptera ce que je refuse. Bref, si je ne me plie pas à sa règle du jeu, je perds tout. C'est le premier, le seul garçon que j'aie jamais aimé, Liz. Pourtant... si je le suis là où il veut aller... Qui sait ce qui va se passer ? Peut-être qu'il me plaquera quand même. Tasha raconte qu'il laisse toujours tomber une fille quand il a réussi à la faire craquer.

— Ce n'est pas juste !

Je sens soudain monter en moi une colère noire. Ça finit par déborder :

— Pourquoi les garçons devraient-ils toujours mener la danse ? Tony se comporte en enfant gâté qui menace de piquer une crise s'il n'obtient pas ce qu'il désire ! Ne le laisse pas s'en tirer à si bon compte, Lucy !

— Tu crois ?

— Oui. Prends les choses en main. Plaque-le ! C'est à cause de lui que tu te sens mal. Dis-lui que ça ne marche pas entre vous comme tu l'espérais, et que tu veux prendre le temps de réfléchir à votre relation. Que tu n'es pas prête, pour l'instant, et que tu préfères attendre. Tu ne te sens pas en sécurité avec Tony et tu ne peux même pas lui faire confiance. Ça devrait être un truc vraiment spécial entre vous. Un truc qui te donne peut-être envie d'aller plus loin. De toute façon, c'est toi qui dois choisir, Lucy. Ne te sens pas obligée de faire quelque chose dont tu n'as pas envie.

— Et si on regardait mon horoscope ?

— Tiens ! Je pensais que tu ne croyais pas à l'astrologie ?

— Faux ! Je trouvais juste que tu prenais ça trop au sérieux. Tu étais en train de devenir accro.

— Eh bien... j'ai pris conscience de pas mal de choses, ces dernières semaines. L'astrologie donne certains indices pour t'aider à te repérer et à comprendre ce qui se passe, mais elle ne doit pas gouverner ta vie. C'est ce que tu en fais qui compte. Il faut prendre le volant. Tu peux suivre les indications, sans pour autant dévier de ta route. Provoque ou non les événements, laisse faire ou non les choses. C'est à toi de choisir, Lucy.

— Même si je dois le perdre ?

— Qu'est-ce que tu perds, Lucy ? Tu nous as nous, Tasha et moi. Et puis, d'abord, c'est à nous, les filles, de choisir. Sinon, on prend un billet pour l'enfer. Et c'est reparti pour les montagnes russes. On tourne, on se retourne pour essayer de leur plaire, et à force de tout faire pour ressembler à la fille de leurs rêves, on finit par ne plus savoir qui on est.

Oh, je sais, je sais ! Je me rends parfaitement compte que mes bons conseils sont aussi valables pour Lucy que pour moi.

Lucy esquisse un petit sourire triste.

— J'imagine que tu as raison. Les garçons ?

Peuh ! On ne peut pas vivre avec, mais on ne peut pas vivre sans.

— Non ! On PEUT vivre avec et on PEUT vivre sans. À partir de maintenant, c'est nous qui menons la danse.

RÊVE BRISÉ
par Lizzie Foster

Oh ! Il est sans défaut, mais te regarde à peine,
Ce bel ange déchu qui, par le cœur, te mène.
Il ne te mérite pas, tu le sais comme moi.
Il te faut le quitter, que tu le veuilles ou pas.

Tu as pourtant en toi tant de choses à donner.
Bonté, grâce, sagesse, pureté, sincérité.
Mais, chaque fois, c'est pareil. C'est plus fort que toi.
S'il est beau et bien fait, tu lui tombes dans les bras.
Cesse de porter aux nues cet amour illusoire.
Cesse donc de te leurrer et de broyer du noir.
Ouvre grands tes volets. Laisse le soleil entrer.
À quoi bon t'enterrer ? L'amour fait mal, tu sais.
Allez ! Sèche tes pleurs. C'est bien toi la meilleure !

Sois honnête envers toi et prends-toi par la main.
Sache lui dire adieu, et non pas à demain.

Laisse ton rêve brisé au fond des oubliettes.
D'autres cœurs sont à prendre. Retourne dans l'arène.
Crie ta liberté et jette-toi à l'eau.
Mais cette fois, protège-toi, et prends garde au taureau.

Sois honnête envers toi. Recommence de zéro.
D'accord, il était beau, mais ce n'est pas Roméo.
Laisse parler ton cœur. Suis-le où il te mène.
Il ne tient plus qu'à toi d'être une nouvelle Juliette.

14

LES FILLES MÈNENT LA DANSE

Maman m'accompagne en voiture à la soirée. J'arrive au lycée à huit heures et demie et, déjà, la fête bat son plein. La piste est prise d'assaut. Robbie Williams braille dans les énormes baffles aux quatre coins du hall. De ridicules bonnets rouges à pompon blanc sur la tête, Mme Allen et M. Johnson sont postés en faction devant les tables qui font office de bar. Sans doute pour s'assurer que les garçons ne versent pas de la vodka dans les verres, comme l'année dernière. Avant minuit, la moitié du lycée était déjà complètement paf et l'autre vomissait partout. Le scandale quand les parents sont venus rechercher leur progéniture ! À mourir de rire ! Ce sont les profs qui ont trinqué, pour une fois. (« Trinqué » ! C'est le cas de le dire ! Oui, bon, d'accord. Elle n'est pas terrible.)

Je jette un regard circulaire avant d'aller déposer mon manteau au vestiaire. L'endroit est méconnaissable. Le sapin de Noël a été juché sur une scène, à côté des instruments du groupe et de la sono du

D.J., et tous les murs sont festonnés de longues guirlandes électriques multicolores.

Débarrassée de mes affaires, je file aux toilettes me changer. Je suis allée voir Papa et Anna, ce matin, et je n'ai pas pu m'empêcher de me lamenter parce que je n'avais rien à me mettre pour la fête du lycée.

— Eh bien, j'allais te les donner pour Noël, m'a dit Papa en me tendant un billet de cinquante livres[1]. Mais si tu y tiens, tu peux les avoir maintenant. Tu préféreras sans doute t'acheter toi-même quelque chose dont tu as envie.

Je lui ai sauté au cou. Et je me suis précipitée à Primrose Hill. La petite robe de velours noir que j'avais vue était toujours en vitrine et, en plus, elle était soldée pour les fêtes. Elle me va comme un gant. Bien moulante là où il faut, elle est vachement flatteuse : elle m'amincit, m'allonge et, dedans, je parais carrément plus grande. J'avais un peu peur que Maman ne veuille pas me la laisser porter parce qu'elle est dos nu et pas mal décolletée. Mais elle a accepté, à condition que je mette un petit haut en dessous. Ce que je me suis empressée de faire, bien entendu.

J'enlève donc le top en question, je le glisse dans mon sac et j'agrafe le ras-de-cou en velours noir que j'ai trouvé dans la boîte à bijoux de Maman. Un dernier petit coup d'œil dans la glace, une touche de rouge à lèvres... Prête. Je remonte le couloir en direction du hall. À peine arrivée, je tombe sur Tasha.

1. 1 £ = environ 1,61 € (contrairement aux autres pays de la Communauté européenne, le Royaume-Uni n'est pas passé à l'euro).

Tout en l'embrassant, je lui glisse à l'oreille :

— C'est le paradis de la frime, ici !

Toutes les filles de la classe se pavanent dans leur tenue de soirée B.C.B.G. : un vrai défilé !

— Oui. Génial, non ? répond-elle en rejetant en arrière sa superbe cascade de cheveux noirs. Hé ! Tu es super-sexy, ce soir. Hyper-classe, ta robe. Quelle élégance, ma chère !

— Merci. Toi aussi, tu es méga-top.

Tasha est vraiment sublime dans sa robe argent qui accroche la lumière, avec sa chevelure de soie qui lui tombe jusqu'aux fesses. Elle ne devrait pas tarder à trouver un cavalier. Et, bien sûr, Lucy sera avec Tony. J'espère que je ne vais pas rester en plan, à faire tapisserie.

— Tu as vu Jade Wilcocks ? demande Tasha. Elle a une tonne de maquillage sur la figure. Je viens de la croiser dans le couloir, collée à un type comme une sangsue. Le pauvre !

— Elle n'est pas la seule. En revenant des toilettes, j'ai vu au moins une dizaine de couples qui s'entraînaient pour le marathon du baiser en apnée !

— La soirée s'annonce bien, glousse Tasha. On ne va pas regretter d'être venues. À quelle heure passe le groupe ?

— Bientôt, j'imagine.

Je regarde machinalement ma montre et je demande à Tasha :

— Au fait, Lucy n'est pas encore arrivée ?

— Si, si. Elle est aux toilettes, en train de se mettre du truc argenté dans les cheveux. Elle est top glamour. Au fait, tu sais qu'elle a largué Tony ?

— Non ! Quand ?

— Ce matin. Tu venais de partir.

— Et elle ne déprime pas trop ?

— Non. Elle va bien. Elle est même en pleine forme. C'est dément. Tony, lui, est au quatrième dessous. Il ne le croyait pas. Pourtant, elle a fait ça bien, en douceur. Elle a passé une éternité à lui expliquer. Sauf qu'il n'a jamais été plaqué de sa vie. D'habitude, c'est lui qui largue les filles. Je crois qu'il est encore sous le choc. Il a tourné en rond toute la matinée, en répétant que Lucy était vraiment une « fille spéciale ». Il l'a appelée au moins dix fois aujourd'hui.

— Salut, les filles ! lance Lucy qui vient à notre rencontre.

— Ouah ! Tu as un look d'enfer. Une vraie fée.

Elle porte une minijupe taille basse blanche, avec une chaînette de strass autour des hanches, et un top court blanc hyper-sage devant, mais complètement dénudé dans le dos, avec juste deux bretelles spaghettis croisées pour le retenir aux épaules. Je parie que c'est encore une de ses créations.

— C'est de toi, ce top, non ?

Elle hoche la tête.

— Il te plaît ? Je l'ai fait la semaine dernière. J'ai lu dans un magazine que quand tu montres ton dos, personne ne remarque que tu as des œufs sur le plat.

Je ne peux pas m'empêcher de me marrer. Lucy complexe parce qu'elle n'a pas de poitrine. Elle ne devrait pas s'en faire : elle est super-craquante là-dedans.

— Il te va hyper bien, la complimente Tasha.

Je suis trop impatiente de savoir ce qui s'est passé avec Tony pour tenir ma langue plus longtemps.

— Alors ? Tony. Raconte.

Un petit sourire espiègle se dessine sur ses lèvres irisées de gloss incolore ultra-brillant.

— Ça ne marchait plus entre nous.

Je ne le crois pas ! Elle est super-zen.

— Tu l'adorais, non ?

— Oui, mais après la soirée d'hier, je me suis rendu compte que tu avais raison. J'étais de plus en plus mal dans ma peau à essayer de toujours faire ce qu'il attendait et de ressembler à ce qu'il voulait que je sois. Et puis, j'ai envie que ce soit spécial entre nous. Malheureusement, je ne pouvais pas avoir confiance en Tony. De toute façon, je suis d'accord avec toi, Lizzie : ça devrait être à nous, les filles, de choisir. J'ai décidé que je n'étais pas prête, voilà. Point à la ligne.

Elle jette un coup d'œil anxieux vers sa voisine de gauche. Mais Tasha est bien trop occupée à charmer je ne sais quel garçon de terminale pour s'inquiéter des petites misères que Lucy fait à son grand frère.

— Fini la pauvre petite Lucy, poursuit-elle. Plaquée parce qu'elle était trop jeune. J'ai décidé d'inverser les rôles.

— Bravo, Lucy ! Tu as carrément assuré. Il a dû t'en falloir, du courage ! Avec le look d'enfer que tu as ce soir, tu trouveras un remplaçant. Et sans lever le petit doigt, en plus. Ils vont tous tomber comme des mouches !

— « Et il ne tient qu'à moi qu'ils me tombent dans les bras », récite-t-elle en pouffant.

Rien que de repenser à la séance d'autosuggestion d'hier, j'éclate de rire moi aussi.

Au même moment, les lumières s'éteignent, la musique se tait et un brouhaha étouffé envahit le hall. Je me tourne du côté de la scène. Un garçon se dirige vers le micro.

Il me rappelle quelqu'un... Oh non ! C'est Ben. Seigneur ! Pas ses airs de comédies musicales à la noix. Il va passer pour un ringard fini, face à un tel public. Il doit faire la première partie de King Noz. Quel est le demeuré qui a eu l'idée de l'engager ?

C'est alors qu'il m'aperçoit et m'adresse un petit signe de la main. Je réponds discrètement. L'horreur ! À présent, la terre entière sait que je le connais et je vais avoir la honte de ma vie quand il jouera.

— Et maintenant, annonce le D.J., le moment que vous attendez tous. King Noz ! Faites du bruit pour King Noz !

QUOI ? Impossible.

Trois autres garçons montent sur scène et prennent place autour de Ben : un au clavier, un à la batterie et un à la basse. Ils commencent à jouer et Ben se met à chanter. Il est hallucinant ! Ils sont hallucinants ! Carrément *hallucinants* ! C'est le délire dans la salle. Une véritable explosion de cris, de sifflements, d'applaudissements. Tout le monde se rue sur la piste et commence à danser.

Je dois ouvrir la bouche comme un four car Lucy me dévisage avec inquiétude.

— Qu'est-ce qui t'arrive, Liz ? demande-t-elle.

— C'est Ben !

— Oui, je sais. Il vient à la maison prendre des cours avec Papa. Il est génial, non ?

— Mais... c'est le ringard du mariage...

Je ne m'en remets pas. L'attardé habillé en pingouin du mariage d'Amélia, ce pauvre type qui avait l'air tellement empoté devant son piano, sort ses tripes sur scène, en vrai pro, et fait craquer des centaines de personnes dont, j'en suis sûre, toutes les filles présentes (il est si mignon). Pas une qui ne soit en train de danser. Le public est à genoux.

Après deux titres plutôt speed, Ben calme le jeu.

— On va mettre un peu la pédale douce, annonce-t-il.

Il change de place avec le type du clavier et entame une ballade. Sur la piste, les couples se forment. Il a une super-voix : limpide, puissante. Comment j'ai pu être aussi bête ? J'aurais dû m'en apercevoir avant. Même s'il était difficile de deviner que King Noz, c'était lui.

Le rythme s'accélère de nouveau et Tasha, accompagnée d'un garçon, rejoint la foule sur la piste. Je la regarde exécuter l'enchaînement qu'elle m'a montré hier soir. La salle n'a d'yeux que pour elle. Plus d'une fille blêmit et rumine salement en voyant la façon dont son petit copain se pâme devant notre bombe atomique de copine.

C'est alors que la main de Lucy se referme sur mon bras.

— Ne regarde pas, m'avertit-elle. Marc vient d'arriver.

Je détourne précipitamment la tête. Trop tard. Il m'a vue et se dirige déjà vers moi, tout sourires.

— Lizzie ! s'écrie-t-il en me prenant par la taille. Tu es superbe ! J'espérais bien que tu viendrais. Tu veux danser ?

Je ne le crois pas ! Il ne manque pas d'air ! Il espérait que je viendrais, hein ? Et pourquoi n'a-t-il pas téléphoné pour s'en assurer ?

— Non, merci. Je préfère écouter le groupe.

Il est scié. D'ailleurs, c'est vrai que je veux écouter le groupe. Et puis je n'ai aucune envie de lui tomber dans les bras dès qu'il me fait l'immense grâce de se rappeler que j'existe.

Comme il n'a pas l'air de comprendre, j'enfonce le clou :

— Plus tard, peut-être.

— Oh ! Très bien, se reprend-il aussitôt. J'ai le temps d'aller boire un verre en attendant, alors. Tu veux quelque chose ?

— Non, merci.

Et je me retourne vers la scène, tandis qu'il s'éloigne en direction du bar. Il a l'air d'avoir pris un coup sur la tête : il est tout voûté. Sans rire, il a perdu au moins dix centimètres !

— Bien joué, Liz ! me félicite Lucy.

Je prends une profonde inspiration pour me remettre de mes émotions. Je ne suis pas aussi sûre de moi que j'ai bien voulu le faire croire. Marc est toujours aussi beau... Sauf que je me suis promis de ne plus jamais tomber dans le panneau. Cette fois, c'est décidé : on ne m'y prendra plus.

— De toute façon, souffle Lucy en pointant l'index vers la scène, j'ai l'impression que Ben a flashé sur toi.

Je le regarde. Vu la façon dont il braque les yeux sur moi, on dirait qu'il me dédie les paroles de sa chanson.

— Tu es sûre ?

— Certaine. Il est vraiment sympa, tu sais. J'ai discuté avec lui plusieurs fois, quand il était à la maison. Il se prend la tête pour des tas de trucs, comme toi. À mon avis, vous devriez bien vous entendre.

Pendant une demi-heure, je reste adossée au mur, à écouter King Noz.

— *Il existe, je le sais, une source cachée,*
À laquelle étancher ma soif de vérité.
Une voie à suivre, une quête à mener.
Krishna, Bouddha, Gandhi, tous m'indiquent la leur.
Mais quelle route choisir ? Quelle foi embrasser ?
Comment être certain de ne pas se tromper ?
Bien qu'avide de lumière, guettant chaque lueur,
J'entends, au fond de moi, les démons m'appeler.
Et c'est vers les ténèbres que je me sens glisser.

Puis tout le groupe reprend en rap pour le refrain :

Omniscient, mais que dit-il ?
Omniprésent, mais où est-il ?
Omnipotent, mais que fait-il ?
Ce dieu que je cherche serait-il volatil ?
Quelle importance, d'tout'façon ?
Là n'est pas la question.
Le ciel ou l'enfer, tout n'est plus qu'abstraction.
Nous avons tous perdu la voie de la raison.

Lucy a vu juste : je devrais bien m'entendre avec Ben. Il se pose les mêmes questions que moi. Même si nous ne sortons jamais ensemble, ou si ça ne colle pas entre nous, ce ne sont pas les sujets de discussion qui manqueront, c'est clair. Quand je pense que je ne lui ai même pas accordé un regard, avant ce soir ! Et en faire un candidat potentiel, je n'en parle même pas !

À la fin du concert, le D.J. se remet aux platines et Ben se dirige vers moi.

Il n'a pas le temps d'ouvrir la bouche que je m'exclame :

— Trop fort, ton groupe ! Le délire total !

— Merci, répond-il, visiblement ravi. Ça change un peu des comédies musicales, hein ?

— Un peu, oui !

Ouah, ces grands yeux bleus aux longs cils noirs derrière ses petites lunettes rondes...

— Mon frère m'a obligé. J'étais mort de honte. Mais c'était son mariage et ça lui faisait plaisir, alors...

— Normal.

Je ne suis pas près de lui avouer que je lui avais aussitôt collé l'étiquette du ringard fini.

— Tu joues depuis longtemps ?

— Presque quatre ans. J'ai encore des tas de trucs à apprendre. C'est pour ça que je prends des cours. D'ailleurs, je voulais te parler de quelque chose.

Il n'a pas l'air très à l'aise, tout à coup.

— Quoi ?

— Eh bien, j'aurais mieux fait de demander avant, mais... euh...

— Attends. De quoi tu parles ?

— Eh bien, tu sais, l'autre jour, quand je t'ai vue chez Lucy. J'attendais pour prendre ma leçon avec M. Lovering.

— Oui.

— Eh bien, à un moment, il est parti chercher des C.D. qu'il voulait me faire écouter et... euh...

— Et ?

— Et j'ai vu ce cahier sur le piano. Il y avait ton nom sur la couverture.

— Oh, non ! Oh, NON ! Tu ne l'as pas ouvert, hein ? Tu n'as pas fait ça ?

— Eh bien... si, murmure-t-il en baissant les yeux.

— Je n'ai jamais montré mes chansons à personne ! À PER-SONNE !

L'horreur ! Je veux disparaître. Juste au moment où je craque pour lui, il va se payer ma tête devant tout le monde. Et ses chansons qui sont géniales ! Les miennes sont si nulles.

— Je suis désolé, reprend-il. Je ne voulais pas, je te jure. Enfin, juste un coup d'œil, par simple curiosité. Mais j'ai tellement kiffé sur ce que j'ai lu... C'est toi qui les as écrites ?

J'acquiesce comme un automate, trop sonnée pour articuler le moindre mot.

— Elles sont super, Lizzie. Très très bonnes. Tu les as déjà mises en musique ?

Je secoue la tête.

— Si on s'y mettait tous les deux ?

— Vraiment ?

J'hallucine ! Bien sûr que ça me plairait ! Je ne rêve même que de ça !

Pendant toute la demi-heure qui suit, nous ne faisons que parler, parler, parler. De musique, des groupes que nous aimons, de ceux que nous détestons... quand, tout à coup, Marc nous interrompt :

— Tu danses ? me demande-t-il avec un regard mauvais pour Ben.

Je me sens tellement bien et je suis si contente de la façon dont les choses s'arrangent pour moi que j'accepte. Pendant que je danse avec Marc, Ben ne me quitte pas des yeux.

Mmm... intéressant... très intéressant...

— Alors ? dit Marc. Tu veux aller au ciné, la semaine prochaine ?

Je hausse les épaules.

— Peut-être. Je ne sais pas.

Une fois de plus, il a l'air sidéré.

— Oh ! Euh... Bon. Téléphone-moi quand tu le sauras, alors.

— C'est ça.

Incroyable ! Il tire une de ces têtes ! Trop marrant. Je commence à y prendre goût...

Il se penche vers moi et me chuchote à l'oreille :

— Parce que je tiens vraiment à toi, Lizzie, tu sais.

— Oui, oui.

Là, c'est l'apothéose. Le ciel vient de lui tomber sur la tête. Trop délirant.

Je ne résiste pas au plaisir de lui en resservir une louche :

— Bon. Peut-être qu'on se reverra plus tard, mais là, je dois y aller. Je suis venue avec des amis. Il faut que j'aille les retrouver.

Et pan ! je le plante au beau milieu de la piste. Cloué sur place, il est, le beau Marc. Scié à la base. Ça lui apprendra. Il aurait pu venir avec moi, s'il avait bien voulu se donner la peine de téléphoner, non ?

La soirée se passe comme dans un rêve. C'est génial ! Tasha, avec sa manie de flasher sur des types plus âgés, a disparu avec un terminale. La dernière fois que je l'ai vue, elle était dans la cantine déserte, toutes lumières éteintes, occupée à battre le record du fameux marathon en apnée.

Puis Tony est arrivé.

— Il faut que je te parle, m'annonce-t-il, avant même de me dire bonjour. C'est à propos de Lucy.

Je joue les innocentes :

— Pourquoi ? Qu'est-ce qu'elle a ?

— Aide-moi. Tu es une de ses meilleures copines. Comment je peux la « récupérer » ?

— Qu'est-ce que Tasha en pense ?

— Tasha ? ricane-t-il. Tasha m'a conseillé, dès le départ, de laisser Lucy tranquille. Je ne veux pas. Je tiens vraiment à elle.

Tiens, tiens ! Ça me rappelle quelque chose...

Je pointe le doigt en direction de Lucy. Elle est en train de danser un slow avec un garçon hyper-mignon qui la dévore des yeux.

— Elle est là-bas.

Tony se décompose.

— J'ai tout fichu en l'air, hein ?

— Peut-être... peut-être pas. Tu ne le sauras jamais si tu n'essaies pas.

Je le suis des yeux tandis qu'il se dirige vers la piste pour brancher Lucy. Quelle soirée ! Ah, les garçons ! Drôles de bêtes ! Ils ne veulent pas de vous quand vous craquez pour eux, et ils vous courent après quand vous n'en avez plus rien à faire ! Pourtant, je commence à comprendre. J'apprends. J'apprends vite. Très vite, même...

La fête tire à sa fin et je me dirige vers le vestiaire pour récupérer mon manteau. C'est à ce moment-là que Ben me rattrape dans le couloir.

— Lizzie ! Est-ce que je peux t'appeler ? Tu sais, pour mettre tes chansons en musique, comme on en a parlé, tout à l'heure ?

Je m'apprête déjà à lui donner mon numéro quand je me fige. Et me voilà prise d'un fou rire.

— Qu'est-ce qu'il y a de si drôle ? demande Ben, interloqué.

Je sors un stylo de mon sac et un bout de papier, avant de lui répondre :

— Rien, rien. Je serais très contente de faire des chansons avec toi. Mais c'est toi qui vas me donner ton numéro. Et c'est moi qui vais t'appeler.

On ne m'aura pas deux fois...

Retrouve

LUCY, TASHA

et LIZZIE

dans

Petits complexes et grand amour

Leçon n° 3 : Comment le séduire

Dans la même collection découvre vite :

Sophie (T. 1)
Victoria (T. 2)
Olivia (T. 3)
Melissa (T. 4)
Charlotte (T. 5)
Rosie Rushton

Arrête, Maman, je vais craquer ! (T. 1)
Tout va très mal, merci ! (T. 2)
Comment as-tu osé, Maman ! (T. 3)
Qu'est-ce qu'il y a encore, Maman ? (T. 4)
Rosie Rusthon

Pourquoi pas moi ? (T. 1)
Ni oui, ni non ! (T. 2)
La vie en rose (T. 3)
Phyllis Reynolds Naylor

Petits copains et grandes copines (T. 1)
Garçons cool et filles stressées (T. 2)
Petits complexes et grand amour
(à paraître en avril 2003)
Cathy Hopkins

Des livres plein les poches, 

des histoires plein la tête

Et si tu aimes les chevaux,
découvre vite la série

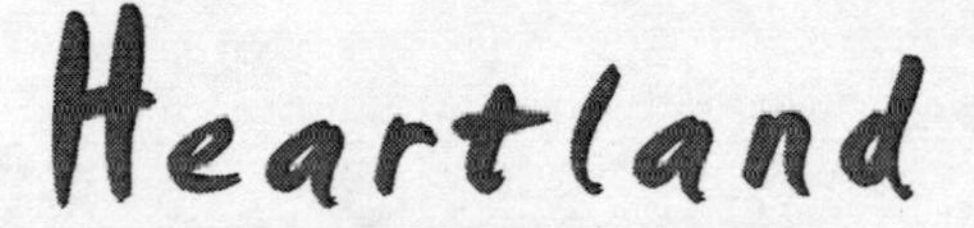

Seule Laura sait les écouter, les comprendre
et leur redonner confiance.
Si tu veux partager sa passion,
rejoins-la vite :

1. **Je reste !**
2. **Après l'orage...**
3. **Une nouvelle chance ?**
4. **Le prix du risque**
5. **L'impossible retour**
6. **Un jour, tu comprendras**
7. **Le champion brisé**
8. **Le cœur noué**
9. **Le messager de l'espoir**
10. **Une ombre au tableau**
11. **La vérité... ou presque**
12. **D'obstacle en obstacle**

Tu aimes rêver,
alors découvre vite la collection

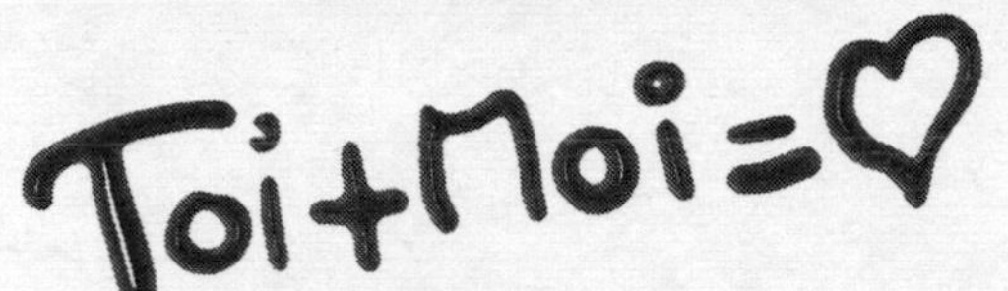

La grande histoire de Léa :

1. **Le cœur en bataille**
2. **Je t'aime, je te hais**
3. **Sauve qui peut l'amour**

Marie-Francine Hébert

4. **Rendez-vous sur la Côte d'Amour**
Michel Amelin

5. **Les carnets de Lily B.**
Véronique M. Le Normand

6. **Félix Delaunay et moi**
Shaïne Cassim

7. **Le garçon d'à côté**
Michel Amelin

8. **Avis de tempête**
Marie-Sophie Vermot

9. **Le fils de l'astronaute**
Danielle Martinigol

10. **Le bourreau de mon cœur**
Michel Amelin

11. **Gaufres, manèges et pommes d'amour**
Giova Selly

12. **Le garçon qui vivait dans ma tête**
Gudule

13. **Un cœur pour deux**
Nina Petrick

14. **Les anges ont trop à faire**
Micheline Jeanjean

15. **Un été de Jade**
Charlotte Gingras

16. **L'amour sans trucage**
Giova Selly

17. **Gazelle de la nuit**
Gudule

Il était une fois... :

18. **Chloé fait des ravages**
20. **Terry amoureuse**

Janet Quin-Harkin

19. **Le jour où j'ai grandi**
Sarah Jacquet

21. **J'aime qui je veux**
Gloria Velásquez

22. **Menteuse amoureuse**
Valpierre

Et si tu aimes les séries de Pocket Junior;
découvre vite

Danse!

écrite par
Anne-Marie Pol

1. Nina, graine d'étoile
2. À moi de choisir
3. Embrouilles en coulisses
4. Sur un air de hip-hop
5. Le garçon venu d'ailleurs
6. Pleins feux sur Nina
7. Une Rose pour Mo
8. Coups de bec
9. Avec le vent
10. Une étoile pour Nina
11. Un trac du diable
12. Nina se révolte
13. Rien ne va plus !
14. Si j'étais Cléopâtre...
15. Comme un oiseau
16. Un cœur d'or
17. À Paris
18. Le mystère Mo
19. Des yeux si noirs...
20. Le Miroir Brisé
21. Peur de rien !
22. Le secret d'Aurore
23. Duel
24. Sous les étoiles
25. Tout se détraque !
26. La victoire de Nina
27. Prince hip-hop

Les secrets de Nina (Hors-série)
Les ballets de Nina (Hors-série)

Tu aimes te bidonner, alors dévore les romans de la collection

RIGOLO

1. **Papelucho, drôle de zozo,** Marcela Paz
2. **Un troll dans mes croquettes,** Ursel Scheffler
3. **Lucie l'éclair,** Jeremy Strong
4. **Un samedi de dingue,** Arnaud Delloye
5. **Dakil, le Magnifique,** Marie-Sabine Roger
6. **L'épicerie en folie,** Fanny Joly

Drôle d'école !

7. **Qui a tagué Charlemagne ?**
8. **Les millionnaires de la récré**
9. **La directrice est amoureuse**
11. **Chaud, la neige !**
28. **Silence, on joue !**

Fanny Joly

10. **Comment être super-belle ?,** Michel Amelin
12. **Plus menteur que moi... y a pas !,** Sophie Dieuaide
13. **La flûte de Simon pète les plombs !,** Freddy Woets
14. **Au secours, ma mère se remarie !,** Barbara Park

Un extraterrestre dans ma classe

15. **Super, Pleskit débarque !**
16. **La prof a rétréci !**
17. **Où est le cerveau de Grand-père ?**
23. **Fou, fou d'amour !**
25. **J'ai transformé mon copain en zombie**
29. **Jamais sans mon patmou !**

Bruce Coville

18. **Une frousse de dingue,** Arnaud Delloye

19. **Mon prof est un extraterrestre**
20. **Ciel ! Encore un prof extraterrestre**
21. **Mon prof s'allume dans le noir**
22. **Mon prof a bousillé la planète**

Bruce Coville

24. **La machine à mémoire,** Arthur Ténor
26. **Le book du foot,** Hugo Amelin
27. **Villa Mondésir,** Claude Carré

Cet ouvrage a été composé par
PCA - 44400 REZE

Impression réalisée sur Presse Offset par

BRODARD & TAUPIN

GROUPE CPI

La Flèche (Sarthe), le 05-02-2003
N° d'impression : 15853

Dépôt légal : février 2003

Imprimé en France

12, avenue d'Italie • 75627 PARIS Cedex 13

Tél. : 01.44.16.05.00